新潮文庫

午後の恐竜

星新一著

新潮社版

2402

目次

午後の恐竜

エデン改造計画

どこから手をつけたものか、私には見当もつかなかった。まったく、とんでもない星だ。これといったものは、なにひとつない。猛獣もいなければ、毒性を持った昆虫すらいない。

あるものといえば、いい気候と、みどりの野山と、美しくゆたかな海と、平穏きわまる生物。それに、おとなしく純真な、地球人タイプの住民たちだけだ。いいかえれば、どこか抜けている住民たち。見わたす限り、文明と呼べるものはひとかけらも目に入らない。このいまいましい野蛮人どもめ。

衣服も文明の産物だ。すなわち、やつらは衣服さえ持たなかった。老人も子供も男も女も、みなはだかで生活している。住居も持たない。夜になると、木のかげか草の上で眠る。

やつらの一日を追うと、こうなる。目がさめると、木のくだものをもいで食べる。それから川で泳いだり野原を走ったりして遊ぶのである。腹がすくと、乳牛のような動物の乳をしぼって飲んだり、海から魚をとってきて食べる。ほかにすることといえば、花をながめるとか、波の音に聞き入るとか、いねむりをする程度。向上とか進歩にはほど遠い世界だ。

やつらがおしゃべりをしあっているのを見ることもある。言語は持っているようだ。しかし、犬やサルだって会話ぐらいする。これだけでは文明の証明にはならない。

また時たまだが、やつらが愛の行為にふけっているのを眺めることができる。どうやら、ところかまわず相手かまわず、それをおこなっているようだ。

しかし、最初のうちはべつとして、なれてくるといやらしいという印象は受けなくなる。本人たちにそんな意識がないためであろう。飲食や排泄《はいせつ》と同じように考えているらしい。天真らんまんで優美で、見ていてほほえましくさえなる。文字どおり愛の行為だ。

こんな日常を惑星の自転とともに、あきもせず、ずっとくりかえしてきたのだろう。やつらは、あきるという感情も知らないようだ。知っていたらもう少しどうにかなっているはずだ。救いようのない未開状態。

早くいえば、エデンの園だ。本当のエデンの園の広さがどれくらいあったのかは知らないが、それをもっと拡張し、人数をふやし、性行為をタブーでなくした形と思えばいい。

私は地球の宇宙省から派遣されて、ここの総督に就任したばかり。到着してから十日ほどになる。来る前には働きがいのある地位を得たことで緊張し、また自信めいたものを持っていたのだが、実際に目にすると、それらが消えてゆくような思いだった。

構想をねると称し、私は毎日、この総督本部の窓からそとを眺めてすごした。もっとも、本部といってもたいしたものではない。倉庫の付属した二階だての簡単な建物と、二十名ほどの部下から成り、それですべてだった。いずれも前任者から引きついだもの。

いい知恵も浮かばず、ぼんやり眺めつづけているわけにもいかず、私は部下のひとりに言った。

「前任者の仕事の記録を見たい。持ってきてくれ」

この星はしばらく前に、探検隊によって発見された。その報告にもとづき、文明を高める任務をおび、初代の総督が送られた。それが私の前任者、科学部門出身の男だった。職務には忠実な性格だったようだが、まるで成績があがらず、解任された。その後任として私が来たのである。

やがて、部下が書類をひとそろい持ってきた。私は机にむかい、それに目を通した。要点を記すとこうなる。

この星に文明は存在しないが、文明への素質がないわけではない。住民の頭も悪くないようである。言語があり、彼らと会話をかわすための翻訳機を作ることができた。この功績はみとめてもらいたい。

つぎに文字を教え、数名をえらんで初歩的な理科教育をほどこしてみた。いずれも頭にはおさまったらしいのだが、それで終り。それだけの話なのである。

なぜなら、文字を教えたはいいが、与える本がない。どんな内容の書物を与えても、少しも興味を示してくれないのだ。この手ごたえのなさ。理科の知識もまた同様、ただの知識にとどまり、発展性がない。頭のなかにむなしく死蔵ということになる。これには、だれしもいらいらさせられるばかりであろう。

以上、科学者だけあって、大まじめの力んだ文章で記録されてあった。しかし、どんな試みをし、どんなぐあいだったのか、書類だけではよくわからない。だれでも失敗の記録は書きにくいものだ。また、後任者を助ける結果になるのも面白くないのであろう。いずれにせよ、彼はなんの成果もあげえなかったのだ。

私は科学者ではない。宣伝関係の部門から抜擢《ばってき》された。宇宙省の長官は、出発前の私にむかって「こういう仕事は科学者にはできない。きみならやりとげてくれるだろう。期待しているぞ」と激励した。本気で期待しているのかどうかはわからないが、私としてはぜがひでもやりとげねばならぬ立場にある。

前任者の報告書は役に立たない。私は部下の全員を集めて言った。

「わたしは着任してまもないが、きみたちは以前からここにいる。その経験にもとづき、なにかいい意見でもあったら、遠慮なく申し出てくれ」

しかし、だれもだまって顔を見あわせるばかり。それも無理はない。いい知恵を出せる才能の持ち主なら、とうのむかしに昇進し、もっとましな地位についているはずだ。

計画は自分で考え出さねばならぬようだ。なにかをやってみなければならない。

「まず、まともな方法でやってみることにしよう。住民のひとりを連れてきてくれ。なるべく強そうな男がいい」

部下はこの命令に従い、出かけていって、ひとりの青年を案内してきた。青年は平然と私の部屋に入ってきた。警戒心というものも、ここの住民は持ちあわせていない。衣服のない世界では、ぶっそうなものをかくし持つ者がいないからであろう。

青年は筋骨たくましい裸体である。健康的な日光のにおいを発散していた。まったく目のやり場に困る。勇気を出して見つめると、こっちの劣等感が高まってくる。私は前任者が残していった翻訳機を使い、にこやかな顔で話しかけた。

「きみはわたしに選ばれた幸運な男だよ。わたしはきみを王にしてやろうと思う。手ごろな武器はいくらでもあげるし、その使い方も教えよう。どうだ、すばらしい話だろう。いやいや、感謝を強要するつもりはない。わたしの好意のあらわれなのだから」

青年は喜びもせず、まばたきをしながら、ゆっくりと聞きかえした。

「その、王というのはなんですか。また、武器とやらはなんですか」

翻訳機がいいかげんなのではなく、相手の無知のせいとわかった。やれやれ、やっかいなことだ。未開人相手だと、思わぬ障害が出てくるものだ。それでも私は身を乗り出し、まず王さまというものの説明をした。誇りと栄光と権力にみちた、どんなにすばらしい立場かを。途中で誇りや栄光や権力の解説をもしなければならなかったが、私は熱心に話した。熱中しているあいだは、そばの裸体があまり気にならない。

さらに、その王の地位を保つのに、武器というものがいかに必要にして便利な品かを話した。猛獣のいない星の住民は、武器のなんたるかを知らないでいるのだ。

私の計画では、とりあえず何人かの王を、各地に作るつもりなのだ。そうすれば、やがて封建制度が確立する。そのうち、王位争いだの、領土をめぐっての戦争もおこるだろう。勝ったほうはいばるだろうし、負けたほうはくやしがるはずだ。

さらに、領民の反抗だの、革命だのクーデターだの、ごたごたに発展してくれれば、文化らしいものが形づくられてくるはずだ。

つまり、地球における長い歴史を短期間に圧縮して再現しようというわけで、きわめて平凡、あまり芸のない案だ。しかし、ほうっておいては変化が起らぬ。なにかを実行してみなければならない。

地球の場合は文明の形成に長い年月を要した。あれをやり、これをこころみ、わけもわからず進んだからだ。だが、ここでは私という指南役がいる。そばから適当に助言し、適時に武器をあちこちに補助する。ある王に防備法を教え、もう一方にそれを破る武器を与え、さらに上まわる防備法をべつな王に指導するといったぐあいにだ。栄枯盛衰が驚異的にスピードアップされる。むだは排除され、大はばに近代化が促進できるにちがいない。

それなのに、青年は期待に反した答をした。

「王さまとかいう役目は、なんだかめんどうくさそうなことですね。だれか、ほかの人にやらせて下さい。そばでわたしが、いっしょに説得してあげましょう。しかし、なぜ王が必要で、どんないいことがあるのですか」

まさか手のうちを示すわけにはいかず、私は答に窮した。その過程をへさえすれば、文明の花開くことは私が保証するのだが。このおろかな野蛮人め、てんでお話にならぬ。私は絶望のため息をもらした。

「なんという欲のないやつだ」

「なんです、その欲というのは」

「もういい、帰ってくれ」

せっかく親切に戦争の味を教えてやろうというのに、相手には通じなかった。あと三人ほど住民の男を呼んで説得したが、やはり同様だった。

といって、あきらめるわけにはいかない。つぎの試みだ。戦争方式がだめなら、こんどはセックスだ。この分野から文明を開発してみることにしよう。私は部下に命じ女をひとり呼ばせた。

この星の住民には美人が多い。それがはだかで部屋に入ってきた。遠くから眺めるのならまだしも、目の前三十センチほどの所に立たれると、私はどぎまぎした。からだのすみずみまで、はっきり見える。

見つめられても女はのんびりとした表情のままだ。こっちのほうが赤くなり、彼女はその私のようすを見て、奇異に感じているのかもしれない。野蛮というか無知というか、扱いにくいことおびただしい。私は言った。

「どうです。服を着てみませんか。こういうぐあいに身にまとうものです」

とピンク色の服を着せてやった。しかし、彼女はすぐにぬいでしまう。

「なぜ、こんなものを身につけるのです。うるさいだけですわ」

「なぜって、はだかでは恥ずかしいでしょう。あなたのような若い女性は、はだかでは恥ずかしいはずだ。恥ずかしがらなければならない」

「恥ずかしいって、どういうことですの」

あどけなく女が答えた。またしてもだ。くわしい説明にとりかかろうとし、私はとまどった。はだかの恥ずかしさを教えるには、まず服を着させるほうが先決問題なのだ。

しかし、服の効能を示すのも大変だった。寒さをやわらげると言おうにも、ここは温暖な気候だ。とげのある草のような、危険物らしきものとてない星だ。美のためなら、花で髪をかざればたりる。そんなことまでしなくても、住民たちは均斉のとれた美しいからだをしていた。手がかりがまるでない。

衣服を着せるのは不可能なようだ。まあ、そんなにいやなら着なくてもいい。目標は、相手かまわず性行為をすることの防止のほうにある。これだけは、ぜがひでもやめさせなければならない。

だが、とりかかってみると、これまた困難をきわめた。なぜ一夫一婦制が正しいのか、自分でもわからなくなっている。むかしの地球の、南太平洋の島々に乗り出した宣教師たちの苦心がよくわかった。しかも、私には彼らのような宗教的信念がないため、理屈っぽくなって迫力にかける。もっとも、信仰があったとしても、地球産の神の説明はさらに容易でない。

ここの住民たちも、宗教らしきものを持ってはいる。だが、いたって簡単なもので、要約するとこうなる。生あるものは、いつかは死ぬ。死ねばもっといい世界に行ける。しかし、なにも急いで行かなくてもいい。なぜなら、そこは収容能力が充分なので、おくれていってもなんの損もない。

ひどい宗教だ。ないほうがいいくらいのものだ。こんなのを信じていられると「命令に従わないと殺すぞ」と、死でおどかして強制することもできない。病原菌をばらまき、その治療薬をちらつかせながら手なずけるという、非常手段もむりなようだ。

それでも私はあきらめきれず、何人かの住民を集め、はだかの恥ずべきことと、一夫一婦制の必要を認識させようと努力しつづけた。「地球での習慣なのだから、おまえたちもそうしろ」とどなりつけたり「だまされたと思って、しばらく服を着てみてくれ」とたのんだり「わたしを助けると思って、言う通りにしてくれ」と泣きついたりした。しかし、どうにもならない。やつらは哀れさへの同情心も持ちあわせていないのだ。そもそも、この星には哀れな住民というものが存在しないのだから、しまつにおえない。

住民たちはにこにこしていたが、私がやっきになって主張しつづけているうちに、笑い顔をやめた。私を気ちがいとでも思い、違和感を抱いたのかもしれない。

なんだかみじめな気分になり、私は記録をつける気にならなかった。前任の総督もそうだったにちがいない。熱心に試みたあげく失敗したのだ。だからこそ、文字を教えたはいいが、与えるべき本や雑誌はとなると、壁にぶち当ってしまったのだ。

まず、はだかの恥ずかしさと、一夫一婦制をまもるべしというタブーを確立する。つぎに、そのタブーを破るスリルの面白さを教えこむ。これらの条件がみたされたのちに、はじめて小説や娯楽読物のたぐいが価値を示してくるのだ。考えてみれば、地球人はまわりくどい妙なことをやって楽しんでいるものだと、われながらふしぎになってきた。

しかし、そんな考察をしている場合ではない。ここの住民たちに、おいろけ物やよろめき物の面白さを、断固として教えこまなければならないのだ。それなのに、いまだに基盤ができあがらない。だれもはだかでおり、気のむくまま相手や場所や時をかまわず性行為をやっている住民たちに、おいろけ物やよろめき物の楽しさのわかるわけがない。

どうにもならない野蛮人たちだ。いっこうに成果があがらず、私はあせった。胃のぐあいが悪くなり、不眠症が再発した。


なぜ私がこうあせるのかを理解してもらうには、総督の任務を説明しなければならない。それを簡単にいえば、住民のレベルをテレビ文明期まで引きあげることなのだ。それがいいことなのかどうかは、哲学者じゃないからわからない。だが、これが命令なのだ。任務というやつは、宇宙のはてにいようと私につきまとう。また、私が昇進できるか格下げになるかのわかれ目でもある。

テレビ文明期といっても、住民たちがエレクトロニクスの知識を持ち、自分たちの手でテレビ製作をする段階のことではない。そんなことは地球のオートメーション工場にまかせておけばいい。要は、住民たちがテレビを眺めて楽しむようになってくれさえすればいいのだ。

テレビ放送が開始されれば、それにのせてコマーシャルが流せる。そうなれば、あとは総督などいらない。ほうっておいても、この星は商品のいい販路に成長する。商社の連中にまかせておけば、適当にやってくれる。

というわけなのだが、このありさまでは、テレビ放送のやりようがない。コマーシャルを流そうにも、それをのせる、かんじんの番組の作りようがないのだ。

すでに私がさじを投げたように、はだかの習慣のもとでは、おいろけ物が成立しない。一夫一婦制がないのだから、結婚を扱ったものも、ホームドラマも意味をなさない。恋愛物もだめだし、家庭喜劇もどうしようもない。よろめきとか浮気とか、これらの一連のものに、住民はなんの関心も示さないだろう。王さまづくりの計画は最初に失敗した。だから、戦争物の受入れ態勢も進んでいない。正義を主張しあって殺しあう、血わき肉おどる画面を見せても、やつらはなにも感じないにちがいない。

犯罪物もだめなのだ。物を私有する楽しみを教え、つぎにそれを盗む楽しさを教え、さらに盗んだやつをつかまえて罰する楽しみを教える。かくしてやっと犯罪物の放送にこぎつけられる。私は順序をたてて教えはじめたのだが、第一歩で泥沼にふみこんだ気分となり、早々にあきらめた。

勝負ごとを知らないのだから、ゲームやスポーツの番組もだめだ、死をこわがらないのだから、スリラー物もだめだ。あわれな人生を誇張してみせる手も通用しない。ニュースもだめだし、社会の矛盾をつこうにも、そんなものははじめから存在しない。なんという未開野蛮なやつらだ。おまえたちにむけ、どんな番組を流したらいいのだ。おまえたちをどう教育したら、番組を見てくれるようになるのだ。おまえたちのおかげで、私はこうも苦しむことになった。こんな星など、存在すべきでなかったのだ。

私はべそをかいた。なにもかも失敗し、手をこまねいているうちに、日数がたってゆく。ある期間たつと、宇宙省から監察官が視察にまわってくる。テレビ文明期に達していないと、容赦なく総督は交代させられてしまう。弁解も許されない、非情なビジネスなのだ。もっとも、そのかわり任務が成功していたら、すぐに昇進ということになる。

その期日が刻々と迫ってくるというのに、名案は浮かばない。依然としてエデンの園に変化はなかった。私のあせりは高まるばかり。私が格下げになるばかりか、それは宣伝関係部門の不名誉にもなる。

私は宣伝での体験をいかすことにした。つまり、はったりだ。ここが科学者とちがうところ。根拠があろうがなかろうが、思いきって賭《か》けてみることだ。私は決心し、部下に命じた。

「おい、中間基地に通信してくれ。大量のテレビと、通信衛星と、録画ずみのビデオテープひとそろいを送るように伝えてくれ」

「はい、総督。まってましたと申しあげたいところですが、大丈夫なんでしょうね。住民が番組を見てくれる可能性はあるんでしょうか。わたしは疑問です。いまのままでは、なにを放送しても受けつけそうにありません」

「心配するな、確信はある」

「本当なんでしょうね。なんのききめもなく大損害となったら、責任問題ですよ」

「うるさい。責任はわたしだけのことだ。早くやれ」

私は強引に言いつけた。やがて、こちらの依頼に応じ、大型の貨物宇宙船が基地から到着した。なかにはたくさんの電池式テレビがつまれていた。私は部下を督励し、それを各所に配置した。

また、三個の通信用静止衛星を打ちあげた。これによって、惑星の全地方に電波を送ることができる。

態勢がととのい、私は標準型の番組を流した。どんな型の編成がいいのか少しもわからないのだから、標準型のを使う以外にない。つまり、ホームドラマ、犯罪物、ボクシング、おいろけ物などが適当に組合されているものだ。それらのあいだには、コマーシャルがはさまれている。もちろん、音声部分はすべてこの星の言葉に吹き替えられている。

ここまできて、私は不安におそわれた。冷静に考えると、あまりに根拠がなさすぎた。こんな確率の少ない冒険的な賭けは、やるべきではなかったのかもしれない。不成功の格下げに加え、不当な濫費《らんぴ》をした責任までしょいこむことになる。部下たちはにやにや笑っている。

おそるおそる本部を出て、私は住民たちの反応を見にいった。しかし、やはり奇跡は起っていなかった。住民たちはテレビの画面に目をやるのだが、すぐにそっぽをむ

く。あきらかに番組が面白くないことを、その表情が示している。いや、画面で演じられていることが、さっぱりわからないのだろう。私はがっかりした。賭けは虫がよすぎたようだ。

あきらめて戻ろうとしたが、私は未練がましくふりかえった。その時、信じられない現象が起っていた。住民たちが、テレビを熱心に見つめているではないか。さっきまでの無関心とは、まるでちがう。目の光がちがい、肩への力の入れ方がちがう。なにがこうも驚くべき変化をもたらしたのだろう。

私はテレビの画面のほうを見た。どんな番組がやつらを引きつけたのだろうか。そこにあらわれていたのは、コマーシャルだった。まったく、なんというやつらだ。

コマーシャルはさまざまな商品を扱う。たとえば新型と称する自動車。その実、新型でもなんでもなく、何年か前の流行にちょっと手を加えただけの形にすぎない。変型と称するライター。形がより悪趣味になっただけで、機能にはなんの変化もない品だ。トイレの壁につける、なんとかいう装置。つけたから便通がよくなるものでもない。

台所用や食事用の、わけのわからぬ各種の製品。たしかにいくらか手間ははぶいてくれるのだが、どこにしまったかの記憶のため、さらに大きな疲れを頭に押しつける品々だ。それらを分類し、ボタンひとつで出してくれる装置もあるが、これが故障をおこしやすく、修理セットをも買わなければならない。

そのほか、自動なんとか機、環境適応調節式なんとか装置のたぐい。ちょっと見ると便利そうだが、本質はどうということのない、くだらぬものばかりだ。宣伝に関係していた私にはよくわかる。必需品ならほっといても買う。ほっといてはだめだからこそ、コマーシャルで押しつけるのだ。そのコマーシャルだけではだれも見ないから、番組というものが存在している。

それなのに、住民たちはコマーシャルのほうを、目を輝かし胸を高鳴らせ、食い入るように眺めているのだ。あんながらくた、どこが面白いのだろう。私には理解できない。そして、かんじんの番組がはじまると、いっせいにつまらなそうな顔になる。

私は心のなかで、なかばあきれた。同時になかばほっとしたことは、いうまでもない。

それからまもなく、宇宙省から監察官がやってきた。出迎えた私に彼は言った。

「ついに成功したそうだが、本当か」

「はい。どうぞ、ご自分の目でおたしかめ下さい」

私は案内し、星を一巡した。住民たちは、なんとかテレビの前をはなれずにいてくれた。私の細工のせいでもある。このところ、少しずつコマーシャルをふやしているのだ。住民たちはコマーシャルがいま出るか、いま出るかとの期待で、番組からさほど目をはなさずにいてくれる。そんなことを知らぬ監察官は、満足そうに言った。

「みごとなものだ。完全にテレビ文明期に達したとみとめていい。よくやった」

「ありがとうございます」

「前任者が、あんなに手こずっていたのにな」

見渡す限り、テレビ以外は依然としてエデンの園だ。だれもはだかだし、学校もなく、産業らしきものもない。監察官はその点に奇妙さか不審を感じているようだ。私は大げさに言った。

「それは大変な苦心でした。とても、一口には説明できないような……」

「いや、わたしも忙しい。すぐ、つぎの星へ出発しなければならない。くわしく聞くひまはないが、経過などはどうでもいいのだ。きみは任務をはたした。わたしは省に帰りしだい、きみの昇進を申請しよう」

「ぜひ、よろしく」

監察官は帰っていった。その宇宙船を見送りながら、私は大きくため息をついた。まもなく、栄転の辞令がもたらされるだろう。

また、住民たちを眺めているうちに、こころよい笑いがこみあげてきた。きみたちにひとつの転機が発生したのだ。いまでこそコマーシャルのほうが興味の的だが、そのうち、あいだにはさまる番組のほうも見てくれるようになるだろう。

もちろん、すぐに効果はあらわれまい。しかし、やがては戦争やおいろけ、犯罪や勝負ごと、なぐりあうボクシング、いばったり、いばられたりする行為。

それらにも少しずつ面白さを覚えはじめ、自分でもやってみようという気になってくれるだろう。

地球のテレビの場合と、まったく逆だ。だが、まあそんなことはどうでもいい。その道を進みはじめれば、もうだれもきみたちを野蛮人などとは呼ばなくなる。おめでとう。私は心からお祝いを言う。さようなら、文明をめざして向上しはじめた星の住民たち。

契約時代

エヌ氏は中年を少しすぎた男で、小さな印刷関係の会社を経営している。営業状態は景気がいいほうといえた。

午前中、彼は社長室で机にむかい、報告書や帳簿のたぐいに目を通す。来客もある。秘書がとりついできた。

「製紙会社のかたが集金にみえました」

「お通ししてくれ」

ドアが開き、集金の人が入ってきた。つづいてもうひとり。それは集金人の依頼した弁護士なのだ。二人に椅子《いす》をすすめながら、エヌ氏はあたりさわりのないあいさつをした。よけいなことは口にしないほうがいいのだ。

「おそれいりますが、もうちょっとお待ちください。わたしどもの弁護士も、まもなく来る予定です」

双方が弁護士を同席させるからといっても、エヌ氏と製紙会社とのあいだが係争状態にあるわけではない。社会がそういう時代になってしまったのだ。契約がすべてを支配する時代。表むきや理想だけでなく、現実にそれが徹底した時代。そういった世の中で、ごたごたに巻きこまれず無事に生きてゆくには、ころばぬ先のつえがいる。なにかをしようとする時には、弁護士についていってもらったほうがいいのだ。いいといった程度のものではない。必需品なのだ。弁護士を専属でやといきりにできればいいのだが、エヌ氏はまだそこまで余裕がない。パートタイムで来てもらっている。

やがてエヌ氏の弁護士がやってきた。

「これはこれは、ちょっとおくれまして申しわけありません。どうも失礼。さっそくとりかかりましょう。お支払いに関してでしたね。書類は用意してまいりました」

せかせかとしゃべり、大きなカバンをあけ、なにかをさがした。相手の弁護士も書類を出して何枚か重ねた。

むかしふうに簡単にいえば、領収書と請求書に相当するものだが、そんなおもかげはない。むずかしい字を使ったものものしい文章が、表から裏へかけて、ぎっしり印刷されていて、ちょっと見ただけでは、なんのことやらさっぱりわからない。

だからといって、弁護士ぬきでスピーディにかたづけようとすると、とんでもないことになる。こまかい文字がくせもので、いろいろなワナが巧妙にかくしてある。しろうとのことだから、たいていなにかにひっかかる。それをみのがしてくれるほど相手は人がよくない。つっつけば取れる権利のある金を、だれがほっとくだろうか。世の中とはせちがらいものなのだ。書類の不備を理由にされ、払ったはずの金を、もう一回払わざるをえなくなるのだ。

本格的な裁判に持ちこんで争ってもいいのだが、そうなったらなったで、たいへんな時間と金を浪費する。負ければ破滅、勝ったところで大損だ。精神的にも、たえがたい苦痛がともなう。

それらを考えたら、弁護士をわずらわしたほうが、はるかに安上りといえる。また、その費用はすべて必要経費として、あらかじめ原価に加えてあるのだ。

机の上の書類に、エヌ氏がいつもの調子でなにげなく印を押そうとすると、弁護士が大げさに注意した。

「あ、あ、それはいけません。新しく法律が改正され、印はこっちへ押すことになったのです。いままでの押しかたですと、すべてが無効になり、もう一回代金を請求され、訴訟をはじめたら負けてしまうところでした。危いところです。もし、わたしが目をはなしていたら、どうなっていたかわかりませんでしたよ。その契約に関する法律とは、これです」

厚い法律書のページをさし示した。「金銭授受確認書類作成に関する法律・商取引きの章・第五次改正の付則二十五条の三行目」なのだそうだ。

エヌ氏はうなずいた。悲しいことだ。弁護士のことばを信ずる以外に、どうしようもないのだ。

わかりやすい手引書があればいいのになあと思う。かつてはそのたぐいが出版された時代もあったのだが、弁護士たちの連合会のほうが一枚うわてだった。

圧力をかけて法を改正して、こみいらせ、むずかしい語を使い、毎年のように変え、本職以外には理解できないようにしあげてしまった。もはや国会でも手がつけられない。つまり、へたなことを言いそうな議員は、選挙違反で告発され、かならず有罪にされてしまう。すべて弁護士に依頼しなければならないのだ。

「しかたがない」

エヌ氏はつぶやき、教えられたとおりに印を押した。そのとおりにしていさえすれば、あとは弁護士の責任なのだ。

エヌ氏はかくして、製紙会社への支払いをすませた。そのほか、きょうは支払日なので、各社から集金に何人かやってくる。それらのすんだあと、弁護士に内容証明ハガキを三枚ほど書いてもらった。きのうの来客へは、こんな文面だ。

〈拝啓。お帰りになったあと、書類のようなものが一枚落ちていました。お忘れになったのではございませんか。一週間以内にご返事のない場合には、当方で紙くずかごへ捨てる自由を持ちます〉

その他もこんなたぐいのものだ。勝手なことをやると、大変なことになる。

弁護士が帰り、仕事が一段落した午後、エヌ氏はデパートへ買物に行こうと思った。道でタクシーをひろう。車に乗る時、エヌ氏は通りがかりの人を呼びとめた。運転手とGデパートに行ってもらう契約をしたから、その証人になってほしいとたのんだのだ。承知した相手から書類に印をもらい、お礼の金を払った。しろうとでできることは、このくらいだ。もっとも、これだっていつまでつづくかわからないが。

タクシーの車内には、小型ポスターが飾ってある。〈みなさまのしあわせを築く弁護士の奉仕〉とあり、きれいなデザインだ。やつら連合会費があまって、こんなところまで使い出したらしい。

エヌ氏がそれを細目で眺め、うとうとしかけた時、衝撃があった。タクシーがほかの車を追い抜こうとして、接触事故を起したのだ。こっちの車はたいしたこともなかったのだが、相手のほうはガラスが割れ、運転手がけがをしたらしい。血が出ている。

通行人が電話したのだろう。サイレンとともにパトロールカーがやってくる。救急車もそれにつづき、手当てをはじめた。さほどのけがではないようだった。

さらに一台、サイレンを鳴らしてかけつけてきた車がある。交通関係専門の弁護士たちの乗った車だ。彼らはそれぞれ双方の運転手と契約して代理人となり、話しはじめた。むかしは運転手どうしが直接どなりあったものだが、もはやそんな光景は見られない。

三人目の弁護士がエヌ氏に聞いた。

「なにかご用はございませんか」

「たのむ、わたしは時間をつぶしたくない。運転手とデパートまでの契約をしている。その権利は放棄するから、ここでおろしてくれ、との同意書をもらってきてください」

やがてその交渉はまとまり、弁護士はもどってきて、手柄顔で報告した。エヌ氏は喜び、報酬を払って解放された。

そこからはたいした距離でもないので、エヌ氏は歩いてデパートまでいった。入口の近くに大ぜいの買物書士がならんでいた。エヌ氏はそのひとりと契約し、デパートに入った。

買物書士とは、買物に関する法律にくわしく国家試験に合格した者だ。これをわずらわさないと、不良品をつかまされても、文句をいえず、返品を拒絶されたり、時には万引きあつかいをされたり、ろくなことにならない。うかうかすると、デパートの顧問弁護士団にとっつかまり、身ぐるみはがされ、訴えようにも裁判所で受け付けてもらえないという、世にもあわれな状態となる。しろうとは自分でやろうなどと考えず、その道の専門家にたのんだほうがいいという、いい見せしめにされてしまうのだ。

買物をすませてから、エヌ氏は一軒のバーに寄った。もう夕方だし、自動車事故でもけがをせずにすんだので、祝杯をあげたい気分なのだ。

「あら、いらっしゃい。お久しぶりねえ」

なまめかしい声で迎えられた。エヌ氏はドアの内側にならんで立っている青年のひとりから声をかけられた。

「きょうは、ぼくと契約してください」

それは風俗営業証言士なのだ。

「いいだろう。たのもう」

エヌ氏はうなずいて席につき、注文した。

「ブランデーをたのむ」

そばにすわったホステスがいう。

「あたしにも、なにかごちそうしていただけないかしら」

「いいとも」

ホステスのうしろにも証言士がつき、エヌ氏の証言士と確認しあっている。そんなに飲まなかったはずだ。いや飲んだ。ブローチを買ってくれると約束した。しない。このたぐいのごたごたはもはや起らない。

エヌ氏は飲みながら、ホステスと雑談をはじめた。

「あい変らず、きれいで魅力的だね」

「あら、おせじがお上手」

「どうだい、そのうち、ひまをみてふたりでいっしょに……」

エヌ氏がいいかけると、うしろから証言士が注意した。

「旦那《だんな》。お話が約束ごとに進展しそうですが、それはおわかりなのでしょうね。はっきりとおっしゃってください」

　エヌ氏は考え、そのさきをつづけた。

「……公園でも散歩しようか……」

「あんまり楽しそうなことじゃないわね。散歩なら、悪いけど、あたし、若い人のほうがいいわ。そういえば、息子さんはまだ学校なの……」

　息子のことを話題に出され、エヌ氏は苦笑いした。しかし、彼は息子自慢なので、まんざらいやな気分でもない。

「ああ、こんど卒業なんだよ。わたしとちがって優秀だから、さきが楽しみだ」

「卒業後の予定はどうなの」

「もちろん、弁護士さ。現代の花形、将来にかけても最も有望な職業だものな。第四次産業とか第五次産業とか称するらしいが、無限の需要と発展とが予測されているそうだ。これまで育てるのに、わたしもずいぶん学資をつぎこんだものだよ」

「これからはご安心ね。おめでとうといわせていただくわ」

「ありがとう、お祝いをいわれてうれしいよ。ハンドバッグでも買ってあげようか」

　この約束は、立会っている二人の証言士も確認し、効力を発生した。女の子はうれしそうにいった。

「夢のようだわ。ちょうど欲しかったところなの……。でも、すごく景気がよさそうね」

「ああ、このところ悪くないよ」

エヌ氏はおうようにうなずく。

「なんでなの。印刷のお仕事なんでしょう」

「ああ、そうだよ。契約書の用紙、申請書の用紙、なんだかんだで大いそがしだよ。毎月のようにそれらの書式が変るから、注文のとだえることもない。まったく契約時代さまさまだ」

午後の恐竜

1

男は目をさました。ねどこのなかで軽くのびをする。どこかで、近所の幼い子供たちの、夢中になってさわいでいる声がする。

「わあ、怪獣だ。怪獣だ」

と叫びあっている。そのなかに、幼稚園へかよっている彼の坊やの声がまざっていることも、すぐにわかった。

男は手をのばし、枕《まくら》もとの時計を取る。カーテンごしの陽《ひ》の光で時計を見る。午前十時半。

「そろそろ起きるとするかな……」

男はつぶやく。彼にとって、日曜の朝のこの寝坊ぐらい好ましいものはない。これを味わうために毎週の勤めをしているような気になることもあるのだ。

もっとも、けさは七時ごろだったか、妻に一回ゆり起された。

「ねえ、あなた。ちょっと起きてみない。面白いわよ」

と、ささやかれたような気もする。

しかし、男はねむい声、ふきげんな声でどなりかえした。

「おれを起すな。日曜の朝ぐらい、ゆっくり眠らしておいてくれ。一週間分の疲れをこれで回復するのだ」

そして、毛布を引っぱって頭の上までかぶり、ふたたび眠りの国へと戻った。

妻も起すのをあきらめたのだろう。男はいま、みちたりためざめを迎えることができた。眠りのなかで、なんだかわからないが不安にみちた夢を見たようにも思えた。だが、それもめざめと明るさのなかで、すぐに忘れてしまった。さらに、それを確認するような口調で男は言ってみた。

「のどかだなあ……」

彼は三十歳ちょっと。努力したかいがあって、このあいだやっと自分の家を持つことができた。この家。小さく、都心へ通勤するにはけっこう時間がかかり、借金もたくさん残っているが、とにかく自分の家なのだ。

家族は妻と坊やひとり。数カ月後には、もうひとり子供がうまれる予定だ。こんどは女の子だといいな。男は楽しく空想した。高望みすればきりがないが、いまのところ大きな不満のない生活といえた。

玄関から子供が、叫び声とともにかけこんできた。

「わあ、怪獣だ。怪獣だ」

男はそれにねころんだまま声をかける。

「怪獣ごっこをやっているのかい」

「あ、パパ。起きていたの」

坊やはあわてて声をひそめた。パパを起さないよう、母親に注意されていたのを思い出したのだ。男は言う。

「ああ、おはよう。だれと怪獣ごっこをやってるんだい」

「ううん、ごっこじゃないよ。本物なんだよ。とってもすごいんだ」

坊やの顔には、興奮がいっぱいにひろがっていた。楽しさできらきらする目。わくわくする心で息づいている胸。手は制しきれぬリズムで休みなく動いている。

しかし、本物とはなんのことだ、と男は思った。真に迫った遊びとでもいった意味なのだろう。男はこのさい、坊やの語法のあやまりを直してやるべきだと考えた。来年は小学校だ。けじめなるものを、少しは教えておかなければならない。

「おい、こっちへ来なさい。遊びの時には、本物などと言ってはいけない」

「だって、本物なんだもの」

「本物の怪獣など存在しないんだ。テレビに出てくるのも、なかに人間が入っている
ぐらい、知っているだろう。言葉づかいはちゃんとしなさい」
「だって、パパ……」
坊やののどから不満げな文句が、しかし、はずんだ声で出た。男の声は大きくなる。
「だって、なんなのだ」
「自分でみてごらんよ」
坊やに言われ、男はカーテンを引き、くもりガラスの窓の戸をあけた。そして、そ
こに見た。
「うむ……」
男はうなり、うなずくばかりだった。ワニのしっぽを短くし、からだをずんぐりさ
せたような形。くすんだ茶色をしており、体長は二メートル半ぐらいだろうか。のそ
のそと歩いている。
「マストドンザウルスっていうんだって」
と坊やは言った。遊び仲間のだれかに教えられたのだろう。近ごろの子供には、古
代怪獣の名にくわしいのがいる。
「ふうん……」

男はため息をついた。異変はそばの怪獣だけではなかった。あたりには妙な植物が何本もはえている。幹にはウロコのようなものがついており、いずれも空へむかって、いやに直線的に伸びている。なかには十メートルを越す高さのものもあった。

「シダのたぐいだろうか……」

葉の形がお正月の飾りに使うそれに似ていた。しかし、もっとずっと大きい。そのため、あたりには緑色の光がただよっている。こんなもの、昨夜まで影も形もなかったのに。

「これは、どういうことなのだ……」

また男はつぶやき、そこに呆然《ぼうぜん》と立ちつくした。坊やのほうは、少しもじっとしていられない。雪のつもった朝も楽しいが、きょうはそれよりはるかに刺激的なのだ。いつのまにか坊やはそとへ出て「怪獣だ、怪獣だ」と叫んでかけまわっている。

そこへ、さっきのかどうかはわからないが、またマストドンザウルスがあらわれた。男は気がつき、あわてて叫ぶ。

「気をつけろ、坊や。その変なやつに近よっちゃだめだ。あぶないぞ。逃げろ……」

そのとたん、怪獣は坊やにむかって、大きな口を開いた。体長の三分の一はありそうな口だ。ノコギリよりとがった、ギザギザの歯の列が白く光り……。

2

厚いコンクリートの壁にかこまれた、大きな地下室のなかで、大ぜいの男女が忙しげに動いている。そのなかで最も年長の、制服姿のひとりが叫んだ。青ざめた顔をしており、いらいらした感情のこもった口調だ。

「おい、XB8号との連絡はまだとれないのか」

「まだです。無電を総動員し、最大の努力はしているのですが……」

壁ぎわに並んだ計器類のランプが点滅し、ピーピーいう信号音や、ブザーの音。コンピューターの磁気記憶装置の回転。

「急げ。なんとしてでも、連絡をつけねばならぬ」

「はい、司令官」

おたがいに話しあうざわめき。そのなかで、だれかの驚きの叫び。

「おい、なんだ。このワニのお化けのような怪物は。どこから出てきたのだ。だれかのいたずらか……」

「きゃっ、こわい……」

女性のかん高い悲鳴。だが、それらを押えつけるように、制服のいかめしい司令官の声。

「ワニがどうした。くだらんことでさわぐな。XB8号との連絡をとれ。それ以外のことは考えるな……」

3

窓のそとのマストドンザウルスは、すさまじさの発散する口を大きくあけたかと思うと、坊やにむかって勢いよく閉じた。それを見て男は、のどに絶望的な声をつまらせながら、両手で目をおおった。

しかし、子供の頭の砕ける音も、苦痛の音も聞こえてこない。響いてきたのは坊やの笑い声だ。面白くて面白くてたまらないという、心からの笑い声。

「あははは、どうだ、怪獣……」

男がこわごわ目をあけると、坊やは無事だった。坊やは小走りに怪獣を追いかけ、手の棒きれでたたいた。いや、本人はたたいているつもりなのだが、そこにはなんの反応もなく、棒は空を打つだけのように動いた。目にははっきりと見えているのだが、実在しているのではないらしい。

男は窓から手をのばした。そこにあるシダの葉をむしってみようと思いついたのだ。しかし、それはできなかった。なんの手ごたえも、感触すらもなかった。葉は鮮明にそこに見えているのに。男はむなしく何回か手のひらを開閉してから言った。

「夢を見ているのだろうか。しかし、おれはさっき目をさました。眠っているのではない。となると、幻覚だろうか。だが、坊やも同時にそれを見ている。坊やに怪獣の名を教えた子供もいる。そうなると、幻覚なんていうものではない。どうしたんだ……」

疑問をつぶやく彼の声は大きくなり、それを耳にした妻がやってきて言った。

「あなた、お起きになったのね」

「ああ、おまえか。自分では起きたつもりでいるが、とても信じられん。なんだ、これは。一夜にして立体テレビが開発され、世界じゅうにむけてワイド版の放送を開始したとでも考えるべきなのだろうか」

「あたしにだって、わかるわけがないわ」

「いつからこうなんだ」

「けさからよ。だけど、朝のうちは樹もこんなに大きく茂ってはいなかったわ。あなたに教えてあげようと起したんだけど……」

その記憶は彼にもあった。どなりかえして眠りつづけたことだ。男はうなずく。

「そうだったのか。あの、ふとったワニのような怪物も朝からいたのか」

「さっきまでは、もっと小さいサンショウウオみたいなのがうろついていたわ。細長く、おなかのほうが赤っぽく、ぬるぬるした感じの皮膚の、なんだか気持ちの悪いやつよ」

「よく悲鳴をあげなかったな」

「でも実在じゃないでしょ。それにそうたくさんはいなかったし、すぐになれたわ」

女性や子供は、すぐ環境になれてしまうもののようだな、と彼は思った。それにくらべ、おれのような男性は、原因や理由を知りたがる。

「それにしても、どうしてこんなことが起ったのだろう」

「蜃気楼《しんきろう》みたいなものじゃないの、そのうち消えちゃうわよ。あなた、朝ごはんなに食べる……」

妻にとっては、日常的な仕事のほうが重要らしかった。実体のないものより食事のほうを優先させるのは、当り前のことかもしれない。妻は彼にとって、この問題を真剣に論じあうにふさわしい相手ではなかった。

「ああ、トーストとコーヒーだけでいい。ここへ持ってきてくれ。そとを眺めながら食べる」

どこからかまた、一団の子供たちのあげる歓声が聞こえてきた。もう愉快で愉快でたまらないという、うわずった声だ。眺めているうちに彼の心にも、遠いむかしの子供のころの日々が戻ってきたようだった。すばらしい贈り物の待っていたクリスマスの朝のめざめ。それをうんと大きくし、あたりにばらまいたようなのだ。

妻は蜃気楼とか言っていた。男は蜃気楼を見たことがなかった。見たくて見たくてたまらないが、一生見ずにすごしてしまうものがあるが、そのひとつだった。しかし、これがそうとはちょっと考えられない。蜃気楼とは、もっとぼやけたものじゃないだろうか。これはあまりにも鮮明すぎる。そこに彼は、なにかたまらなく不安なものを感じた。

男はトーストをかじり、コーヒーを飲んだ。この窓のそとはせまい庭で、そのむこうは道だ。そこをとなりの家の主人が通りかかった。中年の人で、犬を連れての散歩のかえりらしかった。

「おや、こんにちは……」

声をかけられ、男は返事をする。

「きょうは妙なことが起りましたなあ……」

ほかにあいさつのしようがなかった。その時、また変な生物があらわれた。背に大きなヒレをつけた、巨大なトカゲのようなやつだ。ゆっくりと歩き、去ってゆく。犬がほえかかる。隣家の主人はそれをなだめ、おとなしくさせた。犬の目にも見えるらしい。人間だけの集団幻覚でもないらしい。男は聞いた。

「この一帯だけの現象なんでしょうか。ずっとむこうはどうなんでしょうか」

「あっちのほうでは、さっきとても大きなトンボが飛んでましたよ。害はないといっても、いい気持ちじゃありませんね。どうやら、世界じゅうらしいですよ。テレビをつけてごらんなさい。なにか言ってますよ。要領をえないことですが……」

「そうしましょう」

男はスイッチを入れた。甘ったるい歌声が流れ、若い女性の顔がうつった。別なチャンネルを回すと、ニュース解説のアナウンサーらしいのが、まじめな表情でしゃべっていた。

「……この不可解な現象は、依然として世界的な規模でつづいております。これまでの経過をくりかえしますと、外国の生物学者がプールの底をはっている三葉虫《さんようちゅう》を発見し、新聞社に通報したのが最初のようです。もっとも、発見はしましたが、手でつかもうとしてもできなかった。わが国の時間にして、本日の午前一時ごろのことです。三葉虫とは太古の海底に栄えた原始的な生物で……」

　ゲストの生物学者が、その先をしゃべった。

「この三葉虫は、いまから四億年以上も前の、カンブリア紀にすでに発生し……」

　要するに、化石にしか残っていない古い古い生物ということらしい。それから、この現象は進化に関係があるらしいとも言った。幻としてあたりに出現しているこれらの動植物は、あきらかに進化のあとをたどっているという。学者は図をめくりながら、いろいろな古生物の名を口にした。

　妻の言っていた大きなサンショウウオのような図もあった。さっきのマストドンザウルスの名も出た。しかし、その図は必要なかった。その時、テレビスタジオのなかを、それがゆっくりと通りすぎていったのだ。

　アナウンサーが言った。

「進化のお話はわかりました。で、なぜこんな現象が起ったのでしょう」

「さあ、わたしの専門は古生物学でして、それ以外のこととなると、どうも……」

「では……」

　アナウンサーはそれ以上あまり突っこまなかった。失礼でもあるし、解答が期待できないと知っているからでもあろう。それからアナウンサーは、なるべく外出をひかえるようにと注意した。あたりに気をとられ、運転をあやまって事故を起すといけないからだ。だが、だれも外出しようとしないだろう。休日なのだし、どこかへ行かなくても、これでけっこう面白いのだ。

窓のそとの樹は、種類が少し変ったのか、より高くなり、葉も多くなった。

4

「おい、XB8号との連絡はまだとれないか。どうだ」

制服の司令官は表情をひきつらせながら、ヒステリックに言った。だれかが答えた。

「だめです。さっき、それらしい電波が入ったのですが、うつろな笑い声だけでした。問いかけても答えません。それに、あまりにも瞬間的だったので、位置のつきとめようがなかったのです」

「呼びつづけるんだ。あのXB8号という最新原子力潜水艦は、水爆弾頭のミサイルを十発もつんでいるんだ。まちがいがあったら大変なことだ。事故で沈没したとはっきりしてくれたら、どんなにありがたいだろう」

「司令官。沈没を期待するようなことをおっしゃっていいのですか」

「もし、かりにだ、どこかの外国に発射してみろ。まちがいですむことではない。ただちに報復がなされ、それをきっかけに全世界が核戦争に巻きこまれる」

司令官はこまかくふるえ、そばの者は泣きそうな顔になった。広い部屋のどこかで、また女の悲鳴がした。

「あら、こんな大きな卵が……」

「卵が割れて、黒いコウモリみたいのが出てきたぞ。いや、コウモリだったら卵から

うまれはしない……」

司令官はにがにがしげに言った。

「よけいなことでさわぐな。そんな場合ではない。原子力潜水艦XB8号との連絡だけを考えろ。とりかえしのつかないことになるぞ」

「しかし、司令官。さっきからの、この幻覚みたいな現象はなんなのでしょうか」

「わからん。その方面へ問い合せてみてくれ。生物学の分野なのか、心理学の分野なのか、気象学か地質学かさっぱりわからん。ああ、なにもこんな非常事態の時に、こんな子供の夢みたいなさわぎが加わらなくてもいいのに……」

5

男は午後のひとときを、そとをながめることですごした。

とてつもなく大きい、黒く、三角のような翼の鳥が、どこからともなくあらわれて空を舞っていた。一羽でなく、いくつもいくつも。翼の裏が変に赤っぽいのもいる。

なかには、空中でおたがいに激しく争っているのもある。鋭い歯の並んだくちばし

で、かみつきあうのだ。男は妻を呼んだ。

「おい、きてみろ。面白いぞ」

彼女はそばへ来て、空をあおいだ。

「ほんと、壮観ねえ。あれ、なんていう鳥なの」

「知るもんか。あるいは、翼手竜《よくしゅりゅう》とかいう種類なのかもしれないな。そんな名前をなにかで読んだことがある」

「長いしっぽを下げて飛んでるのもあるのね。すごいわ……」

「面白いことは面白いが、しかし、おれは不安でならない。さっきからそうなんだ。これからどうなるのか……」

しかし、男には、どう不安なのか説明することができなかった。妻もしばらく沈黙をつづけた。彼女もまた、そんなけはいを感じたのかもしれない。

遠くから、子供たちの歓声が聞こえてきた。

「わあ、恐竜だぞ。大きいなあ、すごく大きいなあ……」

それはやがて、こっちにもやってきた。丸い小山のようなと呼ぶべき感じで、全長は、さあ二十メートル以上はあるだろうか。子供たちの叫びにまざる言葉で、ブロントザウルスという名らしいとわかった。胴からは長いくびが伸び、その先に小さな頭がついている。

ゆっくりとゆっくりと歩いている。なにを急ぐ必要があるんだ、といわんばかりだ。午後の明るい陽のなかの恐竜は、堂々として偉大で、どこか壮厳で、気品すらあり、生命そのもののようだった。地球の王者にふさわしいのは、人間でもライオンでもなく、これ以外にないようにさえ思われた。しかし、小さな頭についている目は、ユーモラスなくせになにか悲しげで、いやに人間的なところもあった。

「あら、うちがつぶされるわ……」

妻がかん高い声をあげ、彼にしがみついた。恐竜の足が、屋根にむかってふみおろされたのだ。せっかく作った、この家が……。

しかし、もちろんなんともなかった。ちょっと薄暗くなっただけで、やがてもとに戻った。恐竜は長いしっぽをひきずりながら、幻の森のどこかへ消えていった。彼と妻は、顔を見あわせて笑いあった。

男はふと思いついた。ちょうどいい機会だ。この際、坊やに進化について教えておくとするかな。しかし、それはやめておくことにした。教えようにも、彼にはその知識があまりなかったのだ。それに、幼稚園ていどの子供には理解しにくく、見物して面白がるだけに終ってしまうだろう。

ゴジラのような形の大きな恐竜が通っていった。さっきのより動作がいくらかすばやい。男は百科事典があったことを思い出し、ページをくって、それがイグアノドンという名前らしいとわかった。こんなことで百科事典が役に立つとは、買った時には考えもしなかったな……。

さまざまな恐竜があらわれ、去っていった。背中にギザギザのついたやつ、つののあるやつ、時どきそれらが争い、また、巨大な翼手竜も空からおりてきて、争いに加わったりした。

それなのに、音はしない。静かななかで、音声部分のこわれたテレビのように、激しい争いのドラマが展開された。どこか異様だ。

しかし、壮大なショーではあった。彼と妻はいつまでも見あきなかった。きっと、どこの家庭でもそうしていることだろう。

6

「XB8号はどうした。まだわからんか。核兵器をつみこんだ潜水艦は……」

司令官が叫んだ。声がかれかけている。しかし、答は変りない。

「まだです」

電話のベルが鳴り、だれかがそれを聞き、報告した。

「XB8号の艦長が、特殊ガスの小型ボンベを持ち出していることが判明したそうです。神経性のガスで、人の意志を麻痺《まひ》させ、どんな命令にも服従させる効力を持っているやつです」

それを聞いて、司令官は思わずすわりこんだ。しかし、なんとか立ちあがりながら言った。

「なんだと。特殊ガスの管理がそんなルーズなことでどうするんだ。こうと知ってたら、出航前に艦長のやつを射殺すべきだったんだ。しかし、もうまにあわぬ。おそらく、計画的な行為だ。艦の乗員たちは、艦長の言うがままだ。どう発展するかわからんぞ。おい、艦長の精神状態のデータを、担当の心理学者に問い合せてくれ。早くだ」

緊張した命令が飛んだ。そのなかで、だれかが叫んだ。

「あ、壁から恐竜の首が……」

「幻影のことなど、気にしている時じゃない」

7

午後の陽ざしが傾くにつれ、恐竜の数もへり、植物のようすも変化していった。

「もう、これでおしまいなのかしら」

妻に聞かれ、男は言った。

「いや、そうじゃないだろう。気温の変化のため、恐竜の時代が終ったということなのだろうさ。ほら、変な形だが、羽毛らしきものをつけた鳥が飛んでいる。ぶかっこうで大型のリスというか、小さな小さな鼻の短いゾウといった感じの動物が歩いている。ホニュウ類の先祖だ。寒さにたえられる種類だよ」

「あら、べつにあたし寒くないわよ」

「いや、この幻の進化のドラマ。それが氷河期に入りかけたということさ」

坊やがそとから帰ってきた。つまらなそうな、さびしそうなようすだった。恐竜がいなくなったからだろう。

「どうした。おなかでもすいたのか。そのへんにお菓子があるよ」

「ううん。まだすいてないよ。小さなお馬みたいなのが歩いていたけど、だれも名前を知らないんだ。パパ、知ってる……」

男は教えるべき知識を持ちあわせていないことを残念に思った。恐竜以後の古生物については、百科事典のどこを引けばいいのか見当がつかなかった。坊やはまたそとへとかけだしていった。

幻の植物はいつのまにか、枝にくねりのある見なれたものとなりつつあった。

「もう、そろそろ夕方よ。これ、いつまでつづくのかしら」

「わからんよ……」

しかし、男の背中にはその時、疑問に答えるかのように、なにかぞっとするものが走った。不安が恐怖へと高まったのだ。

8

「司令官。心理学者から電話です」

「よし、よこせ。……もしもし、なにか判明したか」

「はい、この異常現象について、ひとつの仮説を立てたのですが……」

そう聞いて、司令官はがっかりした。

「なんだ。こっちの知りたかったのは、XB8号の艦長と精神状態についてだったのだ。狂気の傾向が発見できたかどうか……」

「申しわけありません」

「しかし、まあ、聞いておこう。この変な現象の仮説とやらを」

「簡単にいえば、きわめて大規模なパノラマ視現象じゃないかと思います」

「それはなんだ……」

「人間が死に直面した瞬間、過去の人生をごく短時間のうちに、順を追って見る現象のことです。あっというまに、すべてを回想するとでもいいましょうか。その規模と範囲をぐっとひろげ……」

司令官は小声で聞きかえした。

「人類のパノラマ視現象とでもいうのか」

「いいえ、動植物すべてを含めてのものでしょう。いまの進行のスピードから考えて、この現象の開始した時刻をコンピューターにかけて逆算してみました。それによると、約二十四時間ほど前じゃないかと思います。原始生命で人の目にはふれなかったでしょうが……」

「なんだと。うむ……」

外部には極秘にされているが、それはXB8号が一切の連絡を絶ったころと一致している。司令官はいやな予感を覚えた。

艦長の狂った頭が、水爆ミサイルを全弾ぶっぱなす決意を、その時刻にかためたためかもしれない。それは、もはやなにものを以《もっ》てしても阻止できない勢いとなった。また現実に、阻止する方法もない。

その変化を地球上の全生命が感じとった。生命の持つ神秘な敏感さ、それが微妙に感じとり、伝えあい、この壮麗なパノラマ視現象をくりひろげている。全生命がその最後を飾ろうとしているので、かくも鮮明なのであろう。地球が太陽のまわりを、何億回、何十億回とまわりながらたどってきた生命の過去。それがこの一日という、かすかな瞬間に再現されているのだろう。

人間は変に思考する能力があるため、かえってわからなかっただけなのだ。運命はきまったのかもしれぬ。司令官は思った。もはや、いかに努力しても手おくれなのだ。司令官は受話器をにぎったまま、しばらく言葉が出なかった。

部屋のなかがさわがしくなった。どこからともなく原始人があらわれたのだ。男性もいるし、女性もいる。いずれも裸で、かみの毛を長くのばしている。前衛的な若者のヌーディスト大会という感じもするが、もっと素朴で健康的だ。裸の一団を前にし、目のやり場に困る者、じっと見つめる者、品のない冗談を言う者、さわぎは大きくひろがる。

「おい、静かにしろ。電話中だ……」

司令官がどなったが、ちょっとおさまりそうにない。原始人のなかには、火をおこそうと木をこすりあわせているのがある。超近代的なエレクトロニクス設備のそろったこの地下室との対照は奇妙だった。

また、石のヤジリで矢を作り、弓につがえる原始人もある。人類の持ったはじめての飛ぶ武器。原始的な火から核兵器へ。矢からミサイルへ。これが文明なのだ……。

だが、司令官はそんなのに目をとめ、感慨にひたっているどころではなかった。受話器にむかって大声で聞く。

「いまの調子で進むと、現代まであとどれくらいの時間があるか」

「おそろしい計算なので、やる気にもなれません。手をつけても、やり終るまでの時間があるかどうか。……あ、この部屋に長いキバのマンモスが入ってきて……」

9

陽はかげろうとしている。思いがけぬ日曜日も終ろうとしている。野生の馬が走り、空をツルのむれが飛び、クマがねそべった。

「晩のごはん、なんにしましょう。買物に出かけるひまがなかったので、おかずは缶《かん》詰《づめ》でもあけましょうか。あなた、お酒を飲む……」

妻が聞いたが、男はふるえながら言った。

「そんなことより、坊やを早く呼んでこい。そのへんでシカでもながめているはずだ」

やがて坊やが戻ってきた。

「パパ、なあに」

「ここにいっしょにいなさい。うちにいるんだ」

「もうすぐ夜になるからなの……」

「そうだよ。夜になる。長い長い夜にね」

妻が聞きとがめ、口を出した。

「それ、どういうことなの」

「なんでもない。わからなくていいんだよ」

そとのたそがれのなかで、古代人どうしが戦っていた。戦う人たちの武器は、めざましく改良され、強力になってゆく。近代戦……。

「もうすぐ今になるんだね。パパ、それから未来があらわれるんでしょ。早く見たいな」

坊やが目を見開いて言った。

「だまって、もっとそばにいなさい。おまえもだ……」

男は妻子を強く引きよせた。

その時、空気をつんざく音がした。それがミサイルの音とは知りようがない。しかし、その音を耳にしてからなにもかにもが超高熱の爆風ですっとぶ、ほんの一瞬のあいだに、男はこの壮大なパノラマ視現象の最後を見た。自分の楽しかった少年時代、悩みの多かった学生時代、卒業、就職、そして結婚。子供の誕生、やっと自分のものになったこの家、これまでに健康で育ってきたこの坊や……。

おれの一座

観客が席についたのをみきわめ、おれはきょうの出演者たちにあいずをした。黒っぽい幕があがり、照明がしだいにはっきりしてくる。

きょうの第一幕は田園風景。背景を簡単に説明するとこうなる。遠くには雪の残る山脈、白い雲の浮いた空。近くには果樹園や畑がある。農家、花、澄んだ小川にそった道。都会生活をしている観客にとって、たまにはこのような情景もいいだろう。その道を、人のよさそうな老人が歩いてくる……。

どれもこれも、おれが神経をすみずみまでゆきわたらせ、細部に至るまで点検したものだ。そんなにまでしてみても、観客のほうは見終って三十分か一時間もすれば、この苦心の成果もすっかり忘れてしまうだろう。

しかし、だからといって、いいかげんな演出は許されない。こり性であるという、おれの性格のためなのだ。時どき、なにもそうまでしなくてもと、自分でも思う。しかし、やはりいいかげんなことをする気にはなれない。また、この一座をひきい、脚本を作り、演出者でもあるということが、おれをそうさせるのかもしれない。

きょうのだしものはリラックス・ムードでいこうと、おれはきめた。観客は昼間、心身をすりへらすようにして働いている。取引きの契約がうまく運ばないとか、部下がへまをやりその監督責任を問われて上役から怒られるとか、昼食をとりに入ったレストランのサービスが悪かったとか、なにかしら疲れているのだ。それをいくらかでも、やわらげなぐさめてあげたいからだ。

第二景はながめのいい山の上にした。そして、第三景はがらりと変って、海の上の遊覧船にした。ちゃちなものではなく、大きく美しい船だ。甲板の上には、着飾った乗客に扮《ふん》した役者を大ぜい並べ、料理や酒もそろえた。楽しさにあふれた空気を作る。船長に扮した役者があいさつに回る。

ここまではよかった。その時、ああ、なんということだろう。ばかなひとりが、とつぜん汽笛を鳴らしやがった。こんなことは、台本にない。

おれはびくりとした。とりかえしのつかないことだ。なにもかもぶちこわしではないか。おれの祈りもむなしく、あんのじょう観客は席を立って帰っていってしまった。あとにはむなしさだけが残る。

おれはどなった。

「だれだ。汽笛を鳴らしやがったやつは」

「はい、申しわけありません」

おどおど申し出てきたやつがあった。いまさらおどおどしたって、手おくれだ。おれはやつをぶんなぐり、どなりつけた。

「この、うすのろめ。きさまは、とんでもないことをしてくれた。せっかくここまで、ぶじに進行したというのに、おれの無念さを考えてみろ……」

「お許し下さい。自分でもなぜあんなことをしてしまったのか」

少しぐらいあやまろうが、座長としておれの気分は晴れない。当りちらしているうちに、それは観客のほうにも及んだ。

「観客も観客だ。なにも汽笛ぐらいで帰らなくてもいいだろう。もう少しいてくれれば、面白い展開になったというのに。遊覧船のそばに、原子力潜水艦がとつぜん、しかし、ごく自然な形で浮上するはずになっていたんだ。せっかくの、それらの用意がむだになってしまった……」

くやしがりながらも、おれはあすの芝居はどういうふうにしようかなと考えた。

「……よし。あすは最初からどぎつくやるぞ。きょうの方針は観客のお気に召さなかったようだ。ひるまの精神的疲労を察して、静かな導入部をもうけたのが、汽笛の失敗を大きくしてしまったといえる。あすは、うんと刺激的にしてやるぞ」

「というと……」

と一座のだれかが聞いた。おれは答える。

「まず、殺人の場面を出そう。そうだ、殺される役はおまえがやれ」

おれは、さっき汽笛を鳴らしやがったやつを指さした。いやもおうもない。座長であるおれの命令は絶対なのだ。いやなら出ていけだ。しかし、これまで出ていった座員はひとりもいない。

おれがこの一座を作ってから、さあ、どれくらいになるだろうか。三十年ちょっとぐらいだろう。回想すると、最初のころは楽なものだった。オオカミやウサギといった程度のものを出し、適当に動かしておけばそれでなんとかなったし、観客だって喜んでくれた。

だが、そんな調子でずっと通用するわけはない。観客だって目がこえてくる。観客の好みがわかるにつれ、小道具のひとつひとつまで、それで統一しなければならなくなる。それに、一座の人員はふえる一方なのだ。おれにとってはにがにがしい傾向なのだが、拒否することもできない。みんなにまんべんなく出演の機会を与えなければならないのだ。

なぜ、こうも熱心にやらねばならぬのか。この疑問が周期的におれをおそってくる。しかし、考えてみてもいつも結論は出ないのだ。これが宿命というものなのだろう。

おれは時どき、がまんしきれなくなり、飛び出して観客をぶっ殺してやりたくなる。しかし、もちろんそんなことはできぬ。そうなったら、おれたちだって生きてはいられないのだ。おのれを無にし、あくまで観客につくすのが、おれたちの一座の者のつとめなのだ。

つぎの晩。おれたちはいつもより緊張していた。きょうこそうまくやろう。きょうこそ、終りまで楽しんでもらおう、と。

観客がやってきた。息もつかせぬ刺激的なシーンを、連続して展開してあげますよ。おれは、きのう汽笛を鳴らしやがったやつを、さあ行けとばかり送り出した。やつはうすのろなんだ。殺される役ぐらいしかできないのだ。

そして、そのあとを女に追わせた。おれの一座のスターというべき女性。若々しく気品のある美女だ。ツーピースの服で、バイオリンのケースをさげている。だが、ケースのなかみはちがう。鋭いナイフが入っているのだ。バイオリンのケースのなかの、鋭いナイフ。象徴的な印象を与えるにちがいない。演劇にはこういったシーンも必要なのだ。

うすのろは気がつかぬそぶりで、ぼんやりと歩いてゆく。女が静かに迫る。不安と緊張にみちた音楽でも流したほうがいいんじゃないか、などと思う人があるかもしれない。しかし、おれはそんなことはしない。音楽を使わないのがおれの方針なのだ。

音楽どころか、せりふすら使わない。言葉なしで、すべての意志が通じる。それこそ演技の最高ではないか。しかし、まあ、そんなことはどうでもいい。自作をほめるなどというのは、いいことではないのだ。

女はナイフを手に持ち、うすのろをうしろから刺した。刃が深くからだに突きさされる。うすのろは無言で倒れる。大げさに悲鳴をあげ、叫びをまきちらすなんて、芝居としての最低のことだと思う。これはうすのろの演技力ではなく、おれの徹底した演出のためだ。

おれは物かげから、感づかれないよう観客席のようすをうかがう。観客は低くうなり声をもらしている。みろ、こうでなくてはいかんのだ。客席がわめき、舞台は静かそのもの。これが演劇の極致なのだ。おれが心から満足する一瞬。

女はうすのろを何度も突きさし、足を一本切りとった。それを手に、少し笑う。この笑い方だってどれぐらい注意したことか。へんにすごみのある笑いでは安っぽくなる。面白がって笑ってはスリラー・コメディだ。抽象的でありながら、しかも実感のある笑いでなくてはならない。

それでこそ、たまらない恐怖で観客を包めるのだ。ほら、観客の口からは、うめき声が押えようもなくあふれ出て、高まり……。

女はナイフを投げ捨て、そばの洋風の家へと入ってゆく。だが、ここで舞台の空白に時間をかけすぎてはいけない。きょうはスピーディな展開が方針なのだ。

家に入った女は、すぐに出てくる。こんどは和服に着かえている。地味な落ち着いた感じの和服だ。それがかえって、若さをひきたてている。

女は立ちどまり、帯をときはじめる。変な筋だと思う人があるかもしれない。そういわれればそうなのだが、ストーリーより迫真さというのが、おれの一座の主義なのだ。

いや、これも半分は言いわけでもある。台本作者であるおれがいけないのだ。おれの頭は、きちっとした構成の作品を作れない。だから迫真さでおぎなっているともいえるのだ。だれか、いい台本作者が一座に入ってくれないかなと思う。ずっとそう思っているのだが、入ってくるのは出演者ばかり。

帯をといた女は、着物もぬいでいった。ここで、はずかしそうな態度を少しでも出してはいけない。これもおれの演出方針だ。安っぽいヌードショーとはちがうのだ。色っぽさとか、いやらしさを絶対に出すな。抽象的で、しかも実感のある女体を出現させるのだ。

女はついにはだかになった。もはや、なにひとつ身にまとっていない。まっ白な肌《はだ》、均整のとれた姿。いかがでしょう、お客さま。おれは客席をうかがった。お気に召していただけるよう、ひたすら祈った。

女は観客のほうに歩み寄る。この劇場は舞台と客席とが自由に交流できるようになっているのだ。美しい女、優雅な曲線、気品のある動作。さすがに、おれの一座のスターだけのことはある。

しかし、ああなんということだろう。観客は帰ってしまいやがった。きょうこそはと意気ごみ、刺激と美の交錯の上に、自信をもってここまで進行してきたというのに。いったい、どこが気に入らなかったとおっしゃるのです。あまりに勝手すぎるじゃありませんか。おれたちの一座は、あなたの専属なのだ。観客はいつもあなたひとり。あなたひとりの専属なのだ。三十代の男であるあなたのために、幼いころからずっとつきっきりだった。ほかの人に演じて見せたことなど、一回もない。これからだって、ずっとそのつもりでいるというのに。

それなのに、かんじんのところで目をさましてしまうとは。芝居の途中で目をさますなんて、失礼ですよ。ずっと眠っていてくだされぱいいのに。いや、ずっとはいわない。あと二十分でも、十分でもいい。あなたは、いつもそうだ。これからクライマックスというのに、予告もなく目をさまして帰っていってしまうとは。

もっとも、おれ自身も反省した。さっきの殺人の場面がいけなかったのかもしれない。観客の彼は、その恐怖でうめき声をあげてくれた。そこまではいいのだが、その声が大きすぎたといえないこともない。

むこうの世界の、そばで眠っている奥さんが、そのうめき声を耳にし、心配になってゆり起してしまったのかもしれない。そうとすればやむをえないことだ。それは観客のほうの責任ではないのだろうか。

いや、やはり演出のいたらなさかもしれない。うめき声をあげない限度に、恐怖を押えるべきなのだろう。

あれこれ考えているうちに、やがて、彼はまた観客席へと戻ってきた。暗いなかで、きょろきょろあたりを見まわしている。さっき、魅力的な場面の途中で目がさめたので、そのつづきを見たいらしい感じだ。

しかし、そうものごと、うまくゆくものではない。さっきの女優は休ませてしまった。いまさら出てくれとも言いにくいし、おれだって気分をそがれ、命令する気にならない。舞台装置もすでに片づけてしまった。

観客になにか見せなくてはいけないと知ってはいるのだが、おれも少しむかむかしている。おれは、そばにいた役者の背中をたたいてささやいた。

「仕方ない。すまないけど、きみ適当にやってくれ」

「わたしがですか」

ふりむいたのは、彼の五年前に死んだ父親だった。昔風な性格で、慈愛のなかにもきびしさを秘めている。老人なのだが、おれの一座に入ってからは、もうそれ以上としをとらなくなっている。おれは言った。

「さっきのつづきとしては、なんとなくそぐわないが、ほかに手がないんだ。まあ、たのむよ」

「はあ」

黒い幕があがり、照明が当てられ、そのなかを父親は観客席のほうへ歩いていった。

これで当面の問題は片づいたが、今夜は終ったあと、一座の連中は不満そうだった。演出が不手ぎわだと言いたいらしい。もちろん、座長の権限は絶対で、おれに直接抗議をするやつはいない。しかし、だからといって、ほうっておくのはよくない。気の抜けた演技をやったり、いざという時に勝手な音をたてたりしかねないからだ。

一座の連中の気分をはらすためには、なにか趣向をこらしただしものをやらなければならない。おれはちょっと考え、ありふれてはいるが、しかし効果的なのをやることにした。

おれはみなに命じ、昆虫をたくさん集めさせた。そして、夜になるのを待った。

彼は眠りの入口をくぐり、おれたちの劇場の観客席についた。それをみはからって、うしろのほうでおそろしいけはいを作りあげる。彼はおびえながら、舞台の上にかけあがった。

だが、舞台の床には、ねばねばしたものがあらかじめ流してあるのだ。彼はそれに足をとられ、思うように進めない。そのうしろを昆虫の大群に追わせるのだ。

彼はふりむき、ぞっとする。だが、かけ出そうとしたって、そうはいかない。苦しみながら、自分に言いきかせるようにつぶやく。

「これは夢なんだ。ぼくが歩けず、昆虫だけが迫ってくるなんて、ありえないことだ。これは夢なんだ。いずれ目がさめれば……」

彼は時どき、この言葉を口にする。夢とは、おれたちの一座のことらしい。どことなく軽蔑《けいべつ》の響きがこもっているような感じがして、おれはこの言葉をあまり好きでない。

夢だから、どうだというのだ。そんなにあわてて、じたばたすることはない。虫が追いつくことはないんだから。いや、追いつかせようと思えばできるのだが、それをやると、あなたは目をさまして帰ってしまう。だから、わざとやらないでいるだけなのだ。

こう考えながら、おれは物かげから見ている。しかし、彼も必死だ。ねばつく足を動かし、なんとか少しでも前に進もうとしている。一座の連中も、遠くから見物して面白がっている。このところ一座にこもっていた不満が、いくらか薄れていった。

このだしものを、おれはいい気になって何日もくりかえした。彼の観客席へやってくる時刻が、しだいにおそくなる。眠ってこんな目にあうのがいやで、不眠症になったのだろう。

おかげで一座の者はしばらく休むことができ、同じだしものをつづけているので、おれも楽だった。

しかし、そのうち、その昆虫の大群がどこかへ消えてしまった。むこうの世界にいる、精神分析医とかいうやつのしわざかもしれない。むこうの世界にはそんなやつがいて「その夢は、後輩たちに追いつかれ、追い抜かれるのではないかという不安のあらわれです」とか言い、指示を与え、なおしてしまうそうなのだ。

おかげで虫たちは消え、おれはまた台本を考え、出演者をえらび、演出をつづけなければならなくなった。

だしものの用意は考えていなかった。おれには長期的な上演計画を立てる才能がなく、首尾一貫した物語も作れない。ありあわせのものをつないで、どんどん舞台にのせた。

おれの一座のなかには、彼の学生時代の友人たちもいるし、先生もいる。それらを集めて、試験のシーンを作ったりもした。

これまでに何度もやっているものだ。わざとできないような問題をえらんで出題するのだから、彼は頭を抱えて苦しむ。いらいらし、ため息をつき……。

適当にじらせ、つぎのシーンに移る。教室の窓のすきまから、矢が飛びこんでくる。インディアンの来襲なのだ。砂けむりをあげて、馬が走りまわる。

だが、インディアンたちを出したはいいが、そのあとどうしたものやら、おれにはわからない。じつは、このへんで彼が目ざめ、席を立って帰ってくれるだろうと思っていたのだ。なかなか予想どおりいかないものだ。

騎兵隊の役者たちは、手ぢかなところにいない。仕方がないので、ぶよぶよしたちょっと形容のできないものをあたりにまきちらし、お茶をにごす。そのうち、おれの困っているのを知って、彼の初恋の女性がかけつけてきてくれる。おれは彼女を舞台へと急がせる。

こんなプログラムがしばらくつづいた。順調なのかどうか、おれにはわからぬ。よそではどんなことを、どんなふうにやっているのか知らないからだ。だが、おれはこれでいいのだと思っている。演劇というものは、自信がなければつづけられないものなのだ。

そのうち、一座のなかに、おれの知らぬ顔の女がまぎれこんでいるのを見つけた。新入りらしい。いちおう質問しておかなければならぬ。

「きみ、いつきた。名前はなんだ」

「あたし、リエっていうの」

二十歳ちょっとで、男心をとらえるのがうまそうな印象を受ける。

「どんな素性なんだい」

「あたし、バーにつとめているのよ。そこであの人と知りあい、ちょっとした仲になったんだけど、奥さんに感づかれちゃったのね。仲をさかれたっていうわけよ。現実に会えないんだから、こっちでお世話になるわ。時どき出してね」

「いいとも。この一座にはだれだって入れる」

おれはうなずいた。彼が成長するにつれ、おれの一座はふえる一方だ。彼のきらっている上役もいるし、いろいろと世話になって頭のあがらない知人もいる。有名な映画スターだって何人もいるのだ。それらをまんべんなく登場させる。このほうに頭を使うので、台本のほうに手が回せないのかもしれない。

おれはこういう新入りがあるたびに、むこうの世界のようすを聞く。熱心に聞くのだが、どうもよくのみこめないところがある。なぞの未知の世界だ。

むこうの世界をのぞいてみるかな、と、おれは思った。これまであまり考えたことはなかった。だが、好奇心にとりつかれると、その衝動は高まるばかりだ。

おれはさっそく、新入りのリエを出演させた。温泉地の旅館の一室を作りあげ、そのなかにリエを置いた。彼は観客席から飛びあがってきた。あとは演出の指示などいらないだろう。

おれはいつも彼のやってくる方角へと歩いていった。暗く、前途にあまりいい予感がしない。こんなこと、すべきではないのではないかと思う。だが、いまさら引きかえすこともない。

その時、ふいに手を引っぱられる。あたりが急に明るくなった。

おれは息をのんで呆然《ぼうぜん》となった。この色彩。さまざまな色がまわりにあり、驚くばかりだった。おれだって演出で色を使わないわけではないが、ほとんどないといっていい。たまに使ったとしても、一種類の色だ。

それがここでは、おしげもなく、はなやかに使われているのだ。もっとも、おれには毒々しいように思えるのだが……。

おれは寝床の上にすわっていた。ずっと呆然としていると、またも手を強く引っぱられる。そばにいる夜着の女性が、おれの手を何回も引っぱっているのだ。

おれははっきりみなかったが、彼の奥さんらしい。あいさつをするのも変だし、おれはしらん顔をしていた。

「あなた、なにをねぼけているの……」

と、こんどは強くゆすられる。おれはこわくなった。それに鼻に感じるもの。においというものらしい。おれの一座にはないものだ。この世界から、早く帰りたい。

「リエ……」

と、おれは叫んだ。きょうの出演はそこで中止しろ、と呼びかけたのだ。

そのとたん、おれの顔にむかって、勢いよく手のひらが飛んできた。なんでぶたれなければならないのか、わけがわからない。しかし、痛みを感じる寸前、おれは自分の劇場へと戻ることができた。

舞台にはまだ旅館の一室があり、そこにリエが手もちぶさたでいた。おれは言った。

「むこうでおまえの名を呼んだら、ひどいことがはじまりかけたぜ」

「ばかねえ」

とリエが言った。

なぜばかなのか、よくわからない。しかし、おれはもう、むこうの世界をのぞきに行こうとは思わない。色の点だけはきれいだとみとめるが、おれの印象ではあまり面白いところではないようだ。こっちのほうがずっと自由で、ずっと楽しい世界のようだ。おれはおれの方針で、ずっと演出をつづけるつもりだ。

まもなく、彼がやってきそうだ。ひとつ腕によりをかけ、久しぶりにリアルな戦争シーンでも見せてあげるとしようか。

幸運のベル

朝。エヌ氏は目をさました。そして、きょうは新しい下着をおろそうと思った。べつに、いまのがほころびてしまったからではない。それどころか、洗濯した下着はまだ新品と見わけがつかぬくらいで、ベッドのそばにおいてある。

しかし、彼は新しい下着をおろしたかったのだ。包装紙を破って、なかからとり出す。しばらくじっと眺めてから、エヌ氏はそれを身につけた。

エヌ氏はテーブルにつき、コーヒーとパンとクダモノの朝食をとった。パンもくだものも包装されている。快い音を立ててそれを破り、なかから出して食べたのだ。

食後、エヌ氏は栄養剤のびんを手にした。

「まだ何錠か残っているな。しかし、景気よく新しいびんをあけよう」

薬の効能期間が切れたわけでもないが、彼は惜しげもなく捨て、新しい薬びんの包装を破った。それを眺めてから、つまらなそうな表情で一錠を口に入れた。

それから歯をみがく時、歯ブラシの新しいのを包装紙から出して使った。しかし、なんの変化も起らない。彼はがっかりした表情でつぶやく。

「また、だめか。いったい、幸運のベルは、いつになったら鳴ってくれるのだろうか……」

幸運のベル。それはメーカーの連合が協同してはじめた、売上げ増進の新しい方法のことだった。不況打開のため、政府に働きかけて認可してもらったのだ。だれが考えついたのか知らないが、なかなかうまい案といえた。なぜなら、みごとに効果をあげつつあるのだから。

消費者が品物を買い、自宅に持って帰って包装紙を破る。もし幸運にめぐまれたら、そのとたんにベルが鳴りだす。

すなわち、品物のなかには特殊な放射線を出すようになっているのがまぜてある。包装紙が除かれるとそれが発散し、天井にとりつけられているベル装置にとどく。そして、明るく輝かしい音色がひびきわたるというしかけなのだ。もちろん、その放射線は人体に無害。また、包装を破らない限り調べようがなく、買う時に見わけようとしてもだめなのだ。

幸運のベルは、ただ鳴るだけではない。その品物をメーカー連合の本部に持ってゆくと、莫大《ばくだい》な賞金がもらえるのだ。ほぼ三年のあいだ、なにもしないでぜいたくに遊び暮せるほどの大金が。

週に何人かが、その幸運にありついている。メーカー側としては、消費が急激に伸びてくれたのだし、宣伝のほうをかなり手控えても、売行きの上昇はとどまらない。採算は充分にとれている。

いうまでもなく、賞金が莫大なだけに、めったに当るものではない。また、品物の価格によって当る率にちがいがあった。鉛筆のように安い品はごくたまにしか当らず、ピアノのように高価なものは、その率が高い。

いずれにせよ、ゼロではないのだ。架空の幻や夢ではなく、幸運は現実に存在している。これから破る包装紙のなかの品がそうかもしれない。そうでないとは断言できないのだ……。

だからこそ、エヌ氏もこのように期待しながら、包装紙を破りつづける。

彼はひげをそり、化粧液を顔につけようとした。容器にはけっこう残っていたが、彼は新しいのを棚《たな》からおろし、包装紙を破るほうを選んだ。

この、あける時の気分はなんともいえない。もしかしたら、一瞬ののちにベルが鳴りひびくかもしれないのだ。好きなことのしほうだいの巨額な賞金。そのことで頭が一杯、いや期待がからだじゅうにひろがり、われを忘れるような快感となる。

エヌ氏は包装紙を破る行為に中毒しているといえた。もっとも、彼ばかりでなく、消費者のだれもがそうなのだ。中毒という語にはいやな響きがある。だが、幸運のベルだけはべつ。毎日毎日を新鮮にしてくれている。いや、一瞬一瞬が新鮮なのだ。

エヌ氏は包装紙から新しい化粧液を出したが、今回もやはりベルは鳴らなかった。彼はがっかりし、天井のベル装置を見あげて呼びかけた。

「おい。いいかげんで鳴ってくれてもいいじゃないか。いつになったら鳴ってくれるんだい」

装置には銀色の花びらの形をしたものがたくさんついている。それは、放射線が来たら受けとめようと待ちつづけている。しかし、今回もまた沈黙したままだった。

がっかりするといっても、絶望と呼ぶほど大げさなものではない。なぜなら、可能性は限りなくあるのだ。べつな品物を手にとり、その包装紙を破りにかかればいい。そうすれば、いまの失望など、あとかたもなく消えてしまう。

彼はタバコの箱の包装を破った。やはりベルは鳴らず、彼はタバコを口にし、火をつけて吸った……。

このような生活を、エヌ氏は、さあ十年もつづけてきたろうか。時どき、冷静になって考えると、痛いほどの反省が襲ってくる。

「ああ、おれは性格の弱い人間なのだな。こんなことでは、どうしようもない。あの幸運のベルのおかげで、これまでどれほどのむだをしてきただろう。ばかげた幻など追いまわさず、むだにするぶんを貯金していたら、ずいぶん金がたまっていたはずだ……」

賞金に匹敵するぐらいの金額がたまっていたかもしれない。反省はするのだが、ベルの魔力からはのがれられなかった。魔力とは理屈などより、はるかに強いものなのだ。

いっそのこと、ベル装置をはずして捨ててしまおうか。思いきりがついて、すがすがしい気分になるかもしれない。そう考えたこともあるのだが、とても実行はできなかった。

ベルのない状態には一刻も耐えられそうにない。包装紙を破るたびに、これがそうかなと思っても、判定のつけようがないのだ。幸運の女神が通りすぎるのを、平然とがまんしていることなど、できるものではない。

エヌ氏は、幸運がすぐそばに来ているような予感がしてならなかった。もっとも、それは十年間ずっと感じつづけている予感だから、予感と呼ぶことはできないかもしれない。だが、彼はその感情を信じ、それに従う。つまり、つい品物を買ってしまい、家に持ち帰って無意識に近い動作で包装紙を破る。この行為をくりかえしてしまうのだった。

「とてもだめだ。やめられない。おれはこんなばかげたことをつづけながら、品物ではなく、自分の人生を浪費してしまうのだ。貴重な人生を……」

何回目、いや、何十、何百回目だかの反省は、とくに強烈だった。そして、これだけわかっていながら欲望をコントロールできない自分が、つくづく情けなくなり、みじめに思えた。

「……この軌道から永久にのがれられない人生なら、早いとこ打切りにしたほうがいいのかもしれない。長く生きてみたって同じことだ。この中毒症状を押える力はおれにはないが、人生に見切りをつける力ならあるだろう」

エヌ氏は劇薬を買ってきた。これを飲みさえすれば、このばかげたしくみの社会、アリ地獄のような社会に、かすかだが復讐《ふくしゅう》してやることができる。

彼は自分の部屋で覚悟をきめた。すみきった心境だった。これで、もう反省することもなくなるのだ。

しかし、その薬を飲むことはできなかった。劇薬のびんの包装を破る時、じっと耳を傾けている自分に気がついたからだ。もしかしたら、ベルが鳴ってくれるのではないかと……。

思い残すことはないはずであり、冷静にこの世に別れる気になったつもりでいても、心はベルにひかれている。なんとあさましいことだろう。これでは完全に敗北だ。ベルにあざけられながら死ぬのでは、こんなみじめなことはない。

「なんという残酷な装置なんだ。よし、おれは意地でもおまえを鳴らせてやる。それまでは決して死なない……」

エヌ氏は劇薬のびんを捨て、包装紙を破ってウイスキーを出して飲み、半分ほど飲んでから、また新しいウイスキーを出した。なんの必要もないのだが、そばにあった石鹸《せっけん》の包装紙を三つほど破った。ベルは少しも反応しなかった。

彼はふたたび、いままでの生活に戻った。熱心に働いて収入を得ることにつとめる。品物を買いこんでくる。胸をおどらせながら包装紙を破る。沈黙したままのベルに失望する。ちょっと反省する。それから、また胸をおどらせながら包装紙につつまれた品物に手を伸ばす。このくりかえしの生活だ。

やがてエヌ氏は、ベル装置にふと疑問を持ちはじめた。あれが故障しているということはないのだろうかと。

故障は絶対にありえないとの保証つきだし、ベル装置の故障の話は、うわさでも聞いたことがなかった。しかし、絶対にないとは言いきれるだろうか。

気にしはじめるときりがない。エヌ氏は念のために、ベル装置をもうひとつとりつけようと思った。

さっそく買ってきて、自分の部屋に持ち帰る。包装紙を破りかける。何万回となくくりかえしてきた動作だ。これで鳴ってくれれば……。

鳴ったのだ。そのとたんに、幸運のベルの音が鳴りひびいた。明るく、輝かしく、高らかに。太陽の精が空から舞いおりてきて、歌いはじめたような音だった。

「あ、ついに鳴った。この音……」

エヌ氏は身ぶるいした。頭はからっぽになり、からだからは気力が抜け、床にすわりこんでしまった。目からは涙が流れつづけている。

とうとう鳴ってくれたのだ。幻聴ではない。耳を手で押えると聞こえなくなり、はなすと聞こえる。いままでのことは、むだではなかった。いや、それらはむだではなかったのだ。

一度はあきらめて、死のうとさえ思ったものだ。だが、ついに勝った。この通り、ベルは鳴っている……。

幸運をつかんだとの実感が、頭やからだに、あらためてみちあふれてきた。われにかえりながら、エヌ氏はあることに気づいた。幸運のベルはたしかに鳴っているのだが、天井で鳴っているのではなかった。新しく買ってきて、いま包装紙から出したほうのベルが鳴っている。

一方が鳴り、もうひとつは沈黙。なぜだろう。こんなことがあるのだろうか。天井のは故障しているのだろうか。彼は包装紙で室内にあるいろいろな品物をおおってみて、放射線がなにから出ているのかを調べはじめた。

なかなかわからなかったが、そのうちに判明した。それは天井のベル装置から出ていた。装置の出す放射線は花びら型の受信部分に当るため、それ自体は鳴らなかったのだ。それで鳴るようでは、商品にならない。

エヌ氏はずっと、幸運の品の下で暮していたのだ。そうと知ったとたん、彼は大声で笑い、泣き、そして笑い、そのあとはいつまでも泣きつづけていた。

華やかな三つの願い

1

高原地帯の静かな夕ぐれ。その景色を眺めながら、邦子はホテルの食堂で夕食をとっていた。彼女はまだ若く、ほっそりした女性。

ホテルは新築で立派だった。その場所にふさわしく、邦子の服も高級だった。また、テーブルの上の料理もぜいたくなものばかりだった。いまの彼女は、お金のことなど心配する必要がないのだった。

ホテルのボーイやほかの客たちは、邦子を見て、なんといい身分なのだろうと、うらやましがっているにちがいない。

たしかに外見はそうだろう。しかし、実際は逆なのだった。邦子はここへ、都会から死ににやってきたのだ。流星だって花火だって、その存在を終える時には美しく燃える。

あたしにも人生の最後の一日ぐらい、それぐらいのぜいたくが許されてもいいはずだわ。こう思って、ありったけのお金を持ち、ここまで出かけてきた。

彼女をこんな思いにかりたてた原因は失恋だった。ありふれているという人があるかもしれない。なにも死ぬことはないという人もあるだろう。身上相談に投書すれば、早く忘れて新しい恋人をお持ちなさい、といった解答がかえってくる。

しかし、失恋の痛手はその当人の心に入ってみなければ、だれにもわからないことなのだ。自動車の事故だって、スピードによって負傷の度にちがいがある。邦子は恋にむかってフルスピードで進み、その正面で男の心は冷たい石となった。ブレーキはきかず、彼女の精神はこなごなになった。致命傷。幕をおろす以外に方法を思いつか

なかった。

邦子は食事をおえた。人生の最後の食事をおえた。彼女は自分の室《へや》にもどり、ちょっと化粧をなおした。それから、薬のびんの入ったハンドバッグを持ち、ホテルを出た。

受付のボーイは、にこやかに言った。

「お散歩ですか」

「ええ、湖水のほとりへ行ってみようと思って」

邦子は答え、林のなかの小道をたどった。これはもう戻ることのない道なんだわ。彼女は歩きながら考えたが、べつに後悔はしなかった。思いとどまって戻ったところで、なんの希望もないのだ。それどころか、このみにくい世から離れることのできる道と思うと、かえって足は早くなった。

やがて、岸に寄せる波の小さな水音がし、目の前に湖の水面がひらけた。遠い山のかなたに夕陽が沈みかけ、湖は美しく輝いていた。はなやかな、はかない反映。

そうだわ、あの太陽が山にかくれきった時に、あたしは死ぬことにするわ。邦子はそう決心した。薬を口にふくみ、湖の水を手ですくって飲むだけのことだ。その行為で人生に終止符を打ち、悲しみや苦しみを消すことができる。

夕陽はしだいに、山のはにかくれていった。それにつれ、湖面はたちまち輝きを失っていった。あたりの空気はひえはじめた。彼女は身をかがめ、左手に薬びんを持ち、右手を水につけた。とてもつめたかった。

その時、そばで声がした。

「あの、ちょっと……」

2

邦子は驚きで、あやうく水に落ちるところだった。よろけながら立ちあがり、ふりむいてみると、そこにはひとりの男が立っていた。

年齢の見当はつかない。決して若くはなく、といって老人でもなかった。四十歳から五十歳のあいだぐらいかしら、と彼女は思った。顔つきにも特徴はなく、地味な服装だった。

邦子は心を乱され、腹立たしげに言った。

「なにかご用ですの。あなたは、どなたですの」

「だれだと思います……」

と聞きかえしながら男は歩き、湖につき出た岩の上でたちどまった。邦子は相手の顔を眺めたが、見おぼえがなかった。どこかでいつか会ったことのある人、という感じさえもしなかった。

それなのに、男はなれなれしく、なにもかも知りつくしているような口調だった。その対照がいちじるしいためか、邦子は異様な気分だった。

だれなのだろう。やはりわからなかった。それでいて、いっこうに魅力のない男なのだが、どこか強くひきつけられる感じもする。なにか、この世のものではないような……。

邦子はなにげなく視線を落し、それから、信じられないような気分で、はげしくまばたきをした。目の前の岩の上に男は立っているのに、水面にうつっているのは岩だけで、男の姿は反射していないのだ。

「もしかしたら、あなたは……」

邦子はぞっとし、ふるえ声で言いかけた。相手はうなずき、どこか笑いを含んだ声で答えた。

「おっしゃってごらんなさい。たぶん当っているでしょう」

「じゃあ、死神なのね。あたしを迎えにきた……」

相手の異様さ、出現のタイミング。なにもかも事情を知っているらしいし、毒を飲もうとするのを見て、とめようともしなかった。それらから考えて、こう結論するほかはなかった。

しかし、男は面白くなさそうに、ぶつぶつ言った。

「いいところまでいったんだが、ちがいますよ。しかし、死神とまちがえられるとは、ひどいものだな。あんなくだらない連中といっしょにされるなんて……」

聞いているうちに、邦子のふるえはとまってきた。正体不明さへの恐怖は、好奇心へと変っていった。いったい、この人は……。

「それなら、なんなの」

「悪魔ですよ。じつは、あなたにちょっとお話があって……」

そう告げられ、邦子は冗談かと笑いかけた。だが、水面に影をうつさない相手であると考えると、否定もできなかった。

「信じられないわ。ちっとも悪魔らしくないじゃないの」

「人びとのなかにあらわれるには、目立たない姿のほうがいいのです。悪魔らしいかっこうだったら、大さわぎになるか、悪ふざけにまちがえられるか、どっちかでしょう」

「それはそうかもしれないけど、本当に悪魔なのかどうか、あたしにわかるわけがないじゃないの。なにか証拠でもあるの……」

「弱りましたな。まあ、お話だけでも聞いて下さい。その上で、お気に召さなかったら、その記憶をすべて消し、さっきの時刻に戻してあげます。夕陽が山にかくれ、あなたが手で水をすくった状態にしてさしあげましょう。こんなことは、悪魔以外のだれにできますか。しかし、さきにその力を示してしまうと、あなたは薬を飲んで死に、わたしはむなしく引きあげなくてはなりません。無意味です。まあ、わたしのほうはかまいませんが……」

なかなか巧妙な話術だった。これまでに数えきれない人を扱ってきたので、なれているのかもしれない。

邦子は首をかしげた。信じられないとはいうものの、ここまできたら、話を聞いてあげてもいい。

「お話って、なんですの」

「その前にうかがいますが、本当に死にたいのですか」

「さあ……」

あらためて、聞かれ、邦子はとまどったが、事態はべつに変ってもいない。彼女はつづけて言った。

「……でも、生きていたって、悲しく苦しいことばかりなんですもの」

「それなら、もし望みどおりの好きな人生がすごせるのだったら、思いとどまりますか」

「でも、そんなこと……」

「と、お考えになるのも、むりもありませんが……」

悪魔の話はうまく、反論の芽をひとつずつつつんでゆくようだった。

「そのかわり、死んだ時には魂をいただきたいとかいうんでしょう」

「まあ、そういうことになっております」

「むかしからの言い伝えどおりね。だけど、魂をどうなさるの。なんの役に立つの」

「みなさん、それをお聞きになる。しかし、かんべんして下さい。未開人に貨幣の説明をするようなものです。また、あなたがただって、品物の代金を払う時、そのお金をなんに使うのかなど、ねほりはほり聞かないでしょう。それが礼儀ですし、聞かれたほうも答えようがない」

うまくぼかされた気分だった。そういうものかもしれない。邦子はそれより、もたらされることのほうを知りたがった。

「で、あたしのほうは、どうしてくださるの」

「三つのご希望をかなえてさしあげます。三ついっぺんでもかまいませんが、あいだをおいて、ひとつずつのほうがいいでしょう。人間とは、やりそこないと後悔とが特徴のようですからね。なにかご希望がありますか。どんなことでも、どうぞ」

「不老不死でもいいの……」

　邦子は相手をやりこめてやろうと思って言った。この願いがかなえられるのなら、魂を渡すこともなく、矛盾がおこるはずだ。しかし、悪魔は平然としていた。

「けっこうですよ。それがどんなものか、ご存知ないようですね。それを願うかたも時たまいますが、すべてのかたが二度目か三度目で、その取消しを願い出ますよ」

　そういうものかもしれない。それを押し通すことはためらった。不老不死が保証されたからといって、べつにすぐ人生が楽しくなるものでもない。

「あたし、芸能界のスターになりたいんだけど」

　とくに、いままで望んでいたことではなかった。しかし、なんとなく華やかそうで、そんな生活に入れたら、悩みから解放された生きがいのある日々が送れるかもしれないと考えたからだった。悪魔はうなずいて答えた。

「では、お約束しましょう。それをかなえてあげます」

「本当なの。いつ、そして、つぎの願いは……」

「まあ、ご心配なく……」

ここまで会話が進んでくると、あたりはすっかり暗くなっていた。闇《やみ》が男の姿とのあいだをさえぎったのか、男が闇にとけこんだのか、もはやけはいもなく、返事もかえってこなかった。立ち去った足音も、水に落ちた音もないのに……。

邦子の心からは、死のうという気持ちが消えていた。いまの出来事のことを、もう少しよく考えてからだっておそくはないのだ。

彼女はかすかに見えるホテルの灯をたよりに、小道を戻った。ボーイは迎えて言った。

「道にでもお迷いになったのかと、心配しておりました」

「なんとか帰ってきたわ。あ、ちょっとお聞きしたいけど、こんなかたは泊っていないかしら。中年の男で……」

と、邦子はいまの男の服装などを言った。しかし、そんな客はいないという。彼女は適当に質問をやめ、室に酒を運ぶようにたのんだ。

やがて運ばれてきた酒を飲みながら、邦子は、さっきのは幻覚だったのかしらと考えてみた。だが、いくら考えてもわからなかった。

3

つぎの朝は、べつになんの変化もなく明るくなった。目をさました邦子が窓からそとを眺めると、朝霧を日の光が消し、すがすがしい山があらわれていた。

きのうまでの思いつめた気分がうそのようだった。しかし、昨夜の事件もまた夢のようで、明るさのなかでは信じられなかった。ばかにされたようにも、自分がばかだったようにも思え、いらいらしてきた。

その時、ドアにノックの音がした。そして、ボーイが入ってきて言った。

「おじゃまいたします。じつは、こちらのかたが折入ってお願いがあるそうで、ご案内したようなわけでございます」

いっしょに入ってきた男は、名刺を出しながら言った。

「わたしは、テレビ映画のロケーションに来ている者です。ところが困ったことに、出演女性がひとり急病になり、使えなくなった。予算や日程の関係で、代役を呼ぶ余裕もない。思いあまってホテルの人に聞きますと……」

つまり、邦子に出演してくれないかという相談だった。彼女はどきりとした。昨夜の悪魔の声が、あざやかによみがえってきた。本当なのかもしれない。しかし、恐怖より期待のほうが大きかった。

「あたしにできるかしら」

「できますよ。なんとか助けて下さい。あなたになら、できるはずです。わたしにはタレントを見つける才能がある。そのわたしが言うんですから、大丈夫ですよ……」

男は早口にしゃべった。なんとかまにあわせてしまおうとあせっている。邦子もはじめてのことながら、からだのなかで自信がわいてきた。きのうのことが暗示となったのかもしれないし、悪魔が才能を与えてくれたのかもしれなかった。彼女は承知した。

「どうやったらいいのか、よく教えていただければ……」

「よし、きまった。大助かりです」

ストーリーを聞いてみると、言い寄る男をはねつける役だった。何回かのとりなおしはあったけれど、けっこううまくできた。失恋で男へのうらみがたまっており、それがあふれでたためかもしれない。

担当者は大喜びだった。

「上出来です。少しもおじけづかなかった。はじめてでこれだけやれる者など、めったにいません。あなたは大変な才能の持ち主ですよ。ずっと出演したらどうです。台本をそのように変えますよ……」

「やってみようかしら」

邦子は欲のない口調で返事をした。悪魔の約束が本当なら、ほっといてもうまくゆく。うそだったら、すぐゆきづまる。いずれにせよ、むきになって運動することもない。

その様子が、売込みに悩まされている担当者には、かえって新鮮に見えたらしい。

「あなたが気に入った。ぜひ、おやりなさい。この世界になれていないのでしたら、いいプロダクションを紹介してあげますよ」

邦子は舟に乗せられ、海流で動かされはじめたような形になった。彼女は青光プロというのに入った。小さなプロダクションだが、この分野では新興勢力だという。

三十歳ちょっとの、いかにもやり手そうな社長は言った。

「わが社の実力、いや、わたしの実行力は相当なものですよ。お任せなさい。お望みでしたら、必ず人気スターに仕上げてさしあげます」

「なにぶんよろしく」

「しかし、売り出すには歌えたほうがいい。まず、歌のレッスンを受けて下さい」

「ええ、そうしますわ。でも、ちょっとお聞きしたいんですけど、あなた、悪魔なの……」

「なんですって……」

社長はいやな顔をした。どうやら、悪魔の化身《けしん》ではないようだった。

邦子は歌のレッスンを受けた。自分でもふしぎなほど、上達は早かった。それはだれもがみとめた。プロダクションの社長は、さっそく売込みにかけまわった。

テレビの歌の番組にちょっと出演した時は、他の歌手を圧倒する人気だった。悪魔がついているという自信が、聴衆にこびるようなことをさせず、かえって目立ち効果的だった。反響の投書が集中した。

社長はレコード会社に売込み、大がかりな宣伝のもとにレコードが発売された。街を歩けばどこかでその曲が鳴っているといったヒットだった。しかし邦子は、自分でそれをたしかめることができなかった。社長から「ひとりで勝手に出歩かないように」と念を押されていたからだった。

わけを聞くと、大衆へ与えるイメージをこわしてはいけないからだという。つまらない失言などされたら、せっかくの人気がこわれてしまうのだそうだ。

邦子の日常は、一日の大部分を占める仕事のほかは、マンションの一室ですごすだけだった。そして、自分について書かれたゴシップ記事を読む。それはプロダクションの製造による、無から作りあげられた、つごうのいい記事だ。慈善事業に寄付をしたの、だれに熱をあげられているのといった、人気を高める効果を持ったものだ。

邦子はしだいに実体がわかってきた。はなやかな有名スターになったものの、それは自分とは関係のない虚像で、自分はただの金をかせぐための機械にさせられてしまったのだと気がついた。

ある日、彼女は思いきって、ひとりで外出しようとした。ささやかな抵抗のつもりだった。しかし、街へ出ると、すぐに呼びとめられた。

「あなたは邦子さんですね」

「ええ……」

ファンかと思い、邦子はにっこり笑いかえした。自分の人気を実感しなければ、せっかく有名になったかいがない。だが、その人の言い分は意外だった。

「お貸ししてあるお金を、早くかえして下さい。社長に言っても、いつも言いくるめられてしまうのです。お会いできてよかった」

「あら、そんなこと、少しも知らなかったわ……」

邦子はあわて、さっそくプロダクションの社長に問いただした。そして、報告を聞いて驚いた。少しもうかっていないのだ。現在の人気は、借金による宣伝でもっている。自分自身は金をかせぐ機械どころか、借金を重ね、金を損する道具なのだ。ひとりで外出するなというのは、この発覚を防ぐためだったようだ。邦子は言った。

「これからどうなるの」

「もっと人気を高めてあげますよ。人気があがると、借金がしやすくなる。それだけ宣伝費がつぎ込めるというわけです」

「すると、有名になればなるほど、あたしの借金がふえてゆくというしかけなのね」

「早くいえば、そうなります。しかし、いいじゃありませんか。面白いし、まあ、なんとかなりますよ。どんどんやろうじゃありませんか」

「冗談じゃないわ。助けて……」

プロダクションの社長は、いいかげんなところで逃げればいいだろう。しかし、本人はそうもいかない。雪だるま式にふえる借金とともにでは、有名になっても少しも楽しくない。それを知ったからには、一日も気は休まらないだろう。泣きつづける邦子を持てあまし、社長は出ていった。

泣き疲れ、邦子が気がつくと、いつのまにやってきたのか、そばに悪魔が立っていた。あいかわらず地味な中年男の姿で。

「いかがでしょう。有名になったでしょう。ご満足ですか」

「とんでもないわ。なんとか助けて。お願い。もうこんな生活、一日もつづけていけないわ」

「いいですとも。そのためにやってきたのです。約束によって、あなたはあと二つ権利があります。それをお使いになればいいのですよ。どうぞ、ごえんりょなく」

「お金だわ。世の中、お金がすべてなんだわ、はなやかな人気なんて、はかないものよ。ねえ、お金持ちにして……」

「かまいませんが、しかし……」

悪魔がなにか言いかけ、邦子は聞きとがめた。

「どうしたの」

「お金で得がたいものにでもしたらと思いましてね」

「そんなものないわ、お金が絶対よ」

「そうまでおっしゃるのなら、そういたしましょう」

悪魔はどこへともなく消えていった。

4

つぎの朝になると、邦子の声はつぶれていた。関係者は大さわぎとなった。しかし、どうしようもない。彼女は入院した。

経営内容はごまかしきれなくなり、債権者たちは動揺した。しかし、病室までは押しかけてこない。それに、邦子にまるで私財がないとわかると、文句も言いようがない。また、あの社長は頭がおかしかったと判明すると、手のつけようがない。

プロダクションは解散し、債権者はあきらめ、芸能界での邦子の名は、たちまち忘れられていった。

邦子の声はなおってきたが、いつ再発するかもしれないとなると、警戒して出演の依頼もない。また、彼女も歌う気にはなれなかった。

病室ですごしていると、邦子の頭にふとあることが浮かんだ。なんでこんなことを思いついたのかわからないようなことが。

ベッドに横になり、雑誌のパズルのページをながめているうちに、ひとつのゲームを思いついたのだ。迷路のパズルとスゴロクとをいっしょにしたような盤の上で、サイコロを使って遊ぶものだ。

ためしに紙で作って、やはりひまを持てあましている入院患者を相手にやってみた。覚えやすく、面白い。と同時に、ルールをさらに改良することもできた。

患者のひとりは親切にも、実用新案の申請をやっておいたほうがいいのではないかと、その方面にくわしいらしく、その手続きをやってくれた。やはり退屈だったためだろう。

これが奇跡のはじまりとなった。

どこから聞き伝えたのか、子供雑誌社やオモチャ会社の人がやってきた。特許使用料が入りはじめたのだ。はじめは少しずつだったが、退院して半年もたつころになると、その金額は急速にふえていった。

子供の世界の流行は、すぐ大人にひろがる。

国際線の航空会社が機内サービスをしてくばったのがきっかけとなったのか、外国からの注文もふえ、一種のブームになっていった。気の早い評論家は、さも大問題らしく論じはじめた。現代社会は迷路そのものであり、そこにサイコロという偶然の力が作用する。スゴロクという、平穏なお正月への潜在的なあこがれがそれを支え、しかじかの現象となったのだそうだ。

邦子は以前にこり、なるべく自分の名を出さないようにし、人前に出なかった。インタビューなどからも逃げまわった。

しかし、それでもけっこうつきまとわれる。そして、用件はきまっていた。彼女の金がめあてなのだ。なんとか引っぱり出そうとする。金のことなど知らないといったそぶりで近づく人も、最後にはそこに行きつく。

財産のふえるのに比例し、邦子は人が信用できなくなった。秘書さえやとう気になれなかった。まじめそうな人物、にこやかな人物も、すべて視線は邦子をつき抜け、その背後の金に焦点があっている。

そうでない人もいるのだろうが、その見わけはつかない。お金さえあればなんでも手に入るという、彼女の期待は裏切られた。

金さえあれば、すてきな男性が集ってくるだろう、そのなかから、愛情と誠実の持ち主をえらび出そうとの計画も、こうなってみると、むりだった。

それでも、そうハンサムではないが、素朴そうな青年と交際を重ねたこともあった。この人ならばと思っていたのだが、やはり行きつくところは金だった。邦子は絶望した声でつぶやいた。

「ああ、いやだわ。これでは、自分自身がどこにもいないみたいで……」

5

すると、また悪魔が出現した。いつものように、平凡きわまる容貌《ようぼう》をしている。そして言った。

「いかがでしょう。お金持ちになれたはずですが」

「お金はできたけど、いやな気持ちね。少しずつたまったお金ならそうでもないんでしょうけど、こういっぺんに集ると、どうしていいかわからないわ」

「それは仕方ありません」

「いつも望みはかなうけど、いやなことがつきまとう。あれ、みんなあなたのしわざなんでしょ」

「ちがいますよ。わたしはきっかけを作るだけ。あとはしぜんにそうなってしまうのです。世の中のせいですよ。わたしの責任にされては迷惑です」

「そうかもしれないわね。あたし、つくづく考えたわ。名声やお金ではなく、大切なのは愛情だと。いまさら気がついても、おそいかもしれないけど」

「おそいことはありません。まだ、あなたは権利をお持ちですよ」

「あたし、愛情にみちた結婚がしたいわ」

「けっこうですな」

悪魔は事務的な口調で言った。邦子はちょっといやみを言った。

「けっこうだなんて、あなたにわかるの」

「あいにく、結婚というものをしたことがありませんのでね。しかし、長いあいだこんな仕事をしていれば、わかってくるものです。もちろん、望みはかなえてさしあげます。あなたに対して強い愛情を持った男と結婚させてあげるぐらい、簡単なことですよ。では、それを第三の願いになさいますか」

「ええ、だけど、ちょっと待って……」

邦子は慎重になった。いままでの例が例だ。なにか、いやなことがくっついてくるおそれがある。愛情に包まれ強い幸福に酔ったとたん、その男が死ぬのかもしれない。あるいは、あたしが死ぬのかもしれない。そもそも強烈で純粋な愛情というものは、死に結びつきやすいもののようだ。愛情物語の大部分は悲劇の形をとっている。平凡な愛を望めばいいのだろうが、そんなことを言う気持ちにはなれない。このへんが悪魔のつけめなのだろう。といって、ただ生きつづけるだけの不老不死も気がのらない。

どうしたらいいのだろう。迷っている邦子に、悪魔はさいそくした。

「どうなさいます。どんなかたとでも結婚させてあげますよ。妻子のある男性だったら、そのしまつをつけてからお世話します。いかなる男性でもかまいませんよ」

妻子ある男性だなんて、悲劇的結末のもとを持っているようなものだ。追いつめられたような表情でいた邦子は、ふいに目を輝かせて言った。

「じゃあ、ある人をお願いするわ」

「どうぞどうぞ、だれです、その結婚したい相手は」

「あなたよ」

邦子は指先をむけた。悪魔はあわてふためいて、かわいそうなほどだった。

「まさか、そんな冗談を。それはいけません」

「冗談じゃないわ。あたし、きめたの、いままで、ずいぶん回り道をしてきたわ。あなたという人があるのをすっかり忘れて。あたしの命を助けてくれた人、わがままな願いをいやな顔をせずにかなえてくれた人、いつもじっと見まもってくれていた人……」

「とんでもない」

「あたしは、他人に求めすぎていたわ。それじゃいけないの。欲しいのは愛してくれる人じゃなくて、あたしが愛せる人なのよ。そして、いままで会ったなかで、それにあたいするただひとりの人は……」

悪魔は手を合わさんばかりにたのみ、その願いさえやめてくれれば、いかなる条件にも応じると言った。魂の件を取消しにしてもいいし、そのうえ、いくつかの願いをかなえてあげてもいいとさえ言った。

しかし、その困った哀れな様子は、邦子の好意をかきたてるばかりだった。

かくして二人は結ばれた。もうけたつもりの大金も、まもなく税務署が来てごっそり持っていった。第二の願いが終ったためか、むかしの債権者がかぎつけて持ってゆき、ブームも終り、あとには少ししか残らなかった。

悪魔、すなわち今の邦子の亭主だが、彼は中くらいの会社につとめた。礼儀正しい点をみこまれ、取引先の人の葬儀には、社を代表していつも行かされるという。

亭主になってからの悪魔は、すっかり平凡になってしまった。邦子はそこが物足らなかったが、やがて、それでいいのだと考えるようになった。名声も金もむなしい。やはり、おだやかな家庭にまさるものはない。もっとも、悪魔のほうがどんな心境なのかは、本人以外にはだれにも知ることができない。

戦う人

ある晴れた日の昼ちかいころ。ひとりの老人がアパートの一室で、自殺をしようとしていた。自殺をするにはふさわしいとは思えないこの時刻を、彼がとくに選んだのではなかった。準備に意外とてまどったため、こんな時間になってしまったのだ。

老人は前日、ガラス屋からパテを買ってきて、窓やドアのすきまを埋める作業を開始した。とりかかる前には簡単なことのように思えたのだが、やってみると、けっこう大変な仕事だった。

安アパートではなく、どちらかといえば高級な鉄筋コンクリート建ての四階の一室だったが、風呂場《ふろば》の排水口だの、郵便受けや鍵穴《かぎあな》など、埋めるべき場所はけっこうあった。

しかし、なんとかやり終えた。なかの空気はそとにもれないはずだ。あとは酒とともに多量の睡眠剤をのみ、ガスをつけっぱなしにすれば、それで目的を達成することができる。彼は自殺の手段をほかに知らないわけでもなかったが、みにくい死体をさらしたり血を流したりして、他人に迷惑をかけたくなかったのだ。

「これでよし、と」

老人は室内を見まわしながら、ひとりつぶやいた。ガス料金はきちんと払ってある。老人は念のために栓《せん》をひねってみた。はい寄る毒蛇《どくへび》のような音とともに、ガスのにおいがひろまった。それをたしかめ、老人は満足そうに栓をしめた。

薬のびんは用意してある。酒もグラスも机の上にある。遺書を書くための便箋《びんせん》も万年筆もある。すべてそろい、手ぬかりはない。ドアのそとには〈留守中〉の札を出してあるから、思わぬ訪問者にじゃまされることはあるまい。また、パテで完全にふさいであるから、もれたガスのにおいをかぎつけ、だれかがさわぎだすこともないだろう。

この老人は死への旅に進んで出発しようとしていた。だが、世の中の敗残者として、死を選ばざるをえなくなったのではなかった。財産はかなりあるし、いま住んでいるこの部屋も、決してあわれなものではなかった。ここに住み、寿命のつきるまで生活をつづけたとしても、まだあまるぐらいの財産であった。

この世はこれ以上生きるに値しない。つまらないものになってしまった、という判断が彼に死を選ばせたのだ。

老人のこれまでの人生は、波乱と冒険でみちていた。回想すると、活気ある響きとはなばなしい色彩とが、心の奥で渦を巻く。若いころ、彼は勇敢な兵士だった。戦場の最前線をかけまわり、多くの敵をたおした。彼の精神と肉体とは闘争を彼に命じ、張りわたした鋼鉄線のように青春の時が流れた。

自国と敵国との戦いが終ると、彼は戦いを求めて、ほうぼうの国へ旅をした。国と国との戦いがない時代となると、革命やクーデターを求めて参加し、力の限り活躍した。主義や主張の異る相手と、命をかけて争うことに生きがいを感じてきたのだった。しかし、やがて世界は平和になり、そのような男をどこも必要としなくなった。老人もまた、若いころのようにはからだが動かなくなり、故国へ帰って引退生活をはじめたのだった。

しかし、静かな生活は、この老人にはむかなかった。適当な話し相手もない。アパートの住人に近づき、むかしの話をはじめても、相手は迷惑そうな顔をする。そんなぶっそうな話は、いまの世では通用しませんよと、軽蔑《けいべつ》と困惑のまざった表情がかえってくるのだ。好戦的な危険人物と思われてしまう。

仕方なく、老人は自分の部屋でひとりきりの時間をすごす。となると、することといえば、過去のはなやかな追憶にひたる楽しみだけだった。弾丸の飛びかう音、火薬のにおい、負傷した時の痛み、わきあがる怒号や悲鳴、たちこめる煙、血の色とにおい。

その時間だけ、老人の顔はいきいきとしていた。緊張があり、充実があり、迫力があり、目もくらむような生命そのものがそこにあった。太古から人類のからだを伝って流れる、血液の奔流がそこにあった。

しかし、その幻が消え、追憶からさめると、ぬるま湯のような現実の世界へと戻る。柔弱な人びとが、よどんだように占めている世の中。ことなかれ主義が支配する社会。洗練されていると称する口先きだけの議論。人形の国のような、ささやかな幸福で満足している家庭……。

老人はうんざりし、また追憶のなかの炎の燃えさかる幻のなかへともぐりこむのだった。この日常をくりかえしているうちに、現実の社会に対する不満が、押えきれぬまでに高まってきた。噴出する寸前の地下の溶岩のようなものだった。こうなると、とるべき方法は二つしかなかった。

ひとつは行動だ。武器を持って社会に挑戦し、生きがいのある舞台を作りあげることだ。しかし、それは不可能だった。老人は同じような過去を持つ友人を訪れて、その計画を相談してみたこともあった。だが、その友人は堕落していた。むちゃなことは考えるな、時代は変ったのだ、おれたちの出番は終ったのだと、静かな言葉が返ってきた。同志は得られず、若者を部下に加えることもできなかった。これでは、行動をしても、なんの意味もない。

もうひとつの道は、こちらから世に絶縁状をつきつけることだ。こんなだらしのない、臆病《おくびょう》で卑小な連中とともに生きる状態へ、終止符を打つのだ。世の中に迫力がよみがえる望みはない。生きながらえてみても、なんの期待も持てないのだ。未来になればなるほど、追憶と現実との落差はまし、いやな気分が強まるにきまっている。

死への出発は、老人にとって、なかなか魅力的な案だった。だれか親しい友でもあれば、老人のこの決意に気がつき、なにか手を打ったかもしれない。心理カウンセラーにでも連れてゆき、環境に適合するよう説得し、自殺を思いとどまらせるのに成功したかもしれない。しかし、そんな親友はいなかったのだ。老人の決意はかたまり、社会とのあいだをパテで遮断《しゃだん》する作業が終った。つぎは生死の壁によって、さらに強く隔絶すればいいのだ。老人は椅子《いす》にかけ、机にむかい、遺書を書くのにとりかかった。

〈私はいま、このあわれむべき世に別れをつげるに当り、ひとこと警告を書き残す……〉

こんな傾向がもし続くのならば、人類の活気は薄まり、遠からず滅亡の時を迎えるであろうとの予言を、力をこめて論ずるつもりだった。しかし、文章はここでとまってしまった。思考が中断されたのではない。紙に文字が残らないのだ。

老人は万年筆を振り、つぎに調べた。インクの切れたことを知り、それを補充すべく室内をさがした。しかし、びんはあったが、なかはからだった。

顔をしかめながら、老人は舌を鳴らした。せっかくの準備に手ぬかりのあったことが不愉快だった。鉛筆はあるのだが、それではいかにも安っぽい。

といって、ここで中止するのも心がきまらない。最初から遺書を残さないつもりだったら、それはそれであきらめもつく。決意し、文案をまとめ、その段階でやめるのは、いさぎよい幕切れではない。心のなかを書き残さねばならぬ。人類への警告を書かねばならぬのだ。それにはインクがなければならない。

老人はインクを手に入れに出かけることにした。ドアのすきまにつめたパテを、はがさなければならなかった。パテはまだかたまりきっていず、戻ってからまた使えそうだった。

ドアをあけて廊下へ出る。むこうから、となりの住人である若い婦人が、ぼんやりした様子で歩いてくる。

「奥さん、いいお天気ですな……」

と老人は声をかけた。それほど親しいわけでもないのだが、死を前にした深刻な内心をさとられたくなかったのだ。あいそよくしておこうとの気持ちが、あいさつの言葉となって出てしまった。

彼女は足をとめ、目を見ひらき、老人の顔を見つめながら、思いがけない返事をした。

「あなた、どなたですの」

老人はなんと言っていいかわからなかった。やがて、腹が立ってきた。なんということだ。まったく、ふざけている。どうせ、テレビの番組かなにかに影響された流行なのだろう。世の中が平穏になると、くだらぬことがはやってくる。退廃のあらわれだ。自己を信ずる能力を失って怠惰になると、風のまにまに身をまかせ、それで得意な気分を味わう。テレビの出演者のせりふや、歌い方や、動作をまね、なにかすばらしい行為のように思いこんでしまうのだ。

ひどいものだ。逆流を乗り切ってやろうと考える者など、ひとりもいなくなった。だが、こいつらともまもなくお別れだ。そう思って、老人は怒るのを押えた。

老人は自動エレベーターのボタンを押し、それに乗って一階におりた。アパートの出入口には管理人が立っていた。万年筆のインクを借りるのなら、ここでもいい。

「すまないが、じつは……」

と老人は切り出した。しかし、それに応じて頭をむけた管理人は言った。

「失礼ですが、どなたでしょうか」

ここでもだ。またも、たちの悪いわるふざけだ。みなでしめし合せ、おれをからかって、なにが面白いのだ。老人はどなりかけ、考えなおした。管理人はまじめな性格の気の小さい男で、そんなたくらみに加わるとは思えない、また、表情にうそはない。どうやら冗談ではないらしい。

そこに気づき、老人はぞっとした。もしかしたら、自分はすでに死んでいるのかもしれぬ。いつのまにかガスがもれていて、それを吸ってしまったのかもしれない。しかし、ぞっとしたといっても、死の恐怖のためではなかった。死は望んでいたところだ。こんな変な死にかたがたまらないのだ。だれとも識別できぬ幽霊となって、この腐りかけた世界をさまよいつづけねばならぬとは。

老人は自分の手を眺めた。いつも見なれた手だ。片手でつまんだら感覚はあり、力をこめたら痛かった。手を顔に当ててみる。口も鼻もあるようだ。しかし、これは錯覚かもしれぬ。まだ安心はできない。

自分の人相がどう変っているのだろう。不安が強く押し寄せてきた。老人は鏡を求めて、あたりを見まわした。管理人室のドアがあいたままになっており、なかをのぞくと壁に鏡があった。顔をうつすには勇気を必要とした。しかし、確認しなければならない。

鏡のなかには、見なれた自分の顔があった。年齢の割には元気そうだと、いつも他人に批評される顔だ。なんにも異常はないではないか。老人はふたたび管理人に話しかけた。

「おい、わたしを知らないのか。ここの住人だよ」

「さあ……」

たよりない返事だ。老人はある仮定を考えつき、それを口にした。

「すると、あなたは管理人の弟さんで、たまたまここにいあわせたというわけですな。人ちがいして、失礼しました」

「弟ですって……」

またも気のない答え。老人は相手の肩に手をやり、少し強く聞いた。

「いったい、あなたはだれなんです」

「さあ……」

管理人は首をかしげた。これはどういうことなのだ、と老人も首をかしげた。こっちをだれだかわからないばかりか、自分自身すらわからないらしい。頭がおかしくなったのかもしれない。だれかを呼ばなければ……。

老人は管理人室に入り、そこの電話機を使った。救急車を呼び、病院へ送ろうと思ったのだ。死を控えながら他人を助ける自分の熱心さに気づき、老人はちょっと苦笑いした。やがて受話器から相手の声がした。

「はい……」

「救急車をよこしてもらいたいんだ」

「なんのことでしょうか……」

　またも要領をえなかった。なんでこっちが、救急車の説明をしなければならないのだ。いくつかの会話をくりかえしたが、事情は少しも通じない。いいかげんで電話を切った。

　それから老人は、急ぎ足でビルのそとに出ようとし、ぶつかりそうになった。ひとりの青年が、そこにしゃがみこんでいたのだ。

「どうなさったのです」

　老人が身をかがめて聞くと、青年は言った。

「なぜ自分がここにいるのか、わからなくて……」

「それなら、自宅へ帰ればいいでしょう」

「その場所が思い出せなくて……」

「自分の家へ電話をかけて聞けばいいでしょう」

「その、電話という言葉は知っているのですが、どう利用するものか思い出せないのです。その番号も……」

　支離滅裂だった。ただならぬ感じがした。通路を見わたすと、乗り物はすべてとまっていた。人びとはあちこちにかたまり、わけのわからないことを話しあっている。正しくいえば、話しあっているのではなかった。おたがいに質問を相手にぶつけるだけで、答えたり説明したりしている様子の人は、ひとりもいなかった。老人は人びとに近寄るのをやめた。事態についての質問を持ちこんでも、なにもえられないらしいと判断したからだ。

ふたたび自分の部屋に戻る途中、テレビをつけてみようと思いついた。エレベーターを四階でおりると、すぐ前の部屋から男が出てきた。老人は反射的に声をかけた。

「どちらへ……」

「なぜこんなところにいるのかわからないのです」

「ご自分の部屋じゃありませんか」

「そうですか……」

「そうですとも。なかで休んだほうがいいでしょう。いっしょにテレビを見て、なにがおこったのかを知りましょう」

老人は手をかし、男をもとの部屋に連れもどした。室内ではテレビがついていた。しかし、画面にはなんの変化もなかった。女性歌手が音楽にあわせて悩ましげに歌い、その前を栄養剤のコマーシャルの文句が横ぎっていった。

これはビデオテープかフィルムの番組かもしれない。老人はチャンネルを切り換え、ニュース・ショーをやっている局をみつけた。そこでは変化がおこっていた。

「これからどうしたらいいのでしょう」

と、アナウンサーらしい男がいっている。ゲストらしい学者風の男も、カメラ係らしい男も、顔をみあわせて同様なことを聞いている。

老人はそばの男の肩をたたいて言った。

「思い出して下さい。なにがあったのです。少し前に、なにかがおこったはずです」

「しかし、それが少しも……」

男はひたいに手を当て熱心に努力していたが、解答はそれ以上に進展しなかった。その動作を眺めているうちに、老人は記憶喪失という言葉を思いついた。戦場や革命の街で、時たま見かけたことがある。頭を打ったり、精神的なショックが原因で、自分の過去を失った人間だ。

これが大規模に発生したようだった。だれもかれもが記憶を失っている。なにが原因なのだろう。それを聞き出すことはできなかった。

老人は自分の部屋に帰り数人の知人に電話をかけてみた。呼出し音がつづくだけが大部分だった。たまに出ても、とめどない質問をされるだけだった。一方、かかってくる電話はひとつもなかった。人びとはベルを聞いて電話に出ることはしても、自分からかけようとはしなくなったらしい。ビルの入口の青年もそう言っていた。また、かけようにも何番を回せばどこへかかるのか、思いつかないでいるのだろう。老人は電話機からはなれた。

いつのまにか一変した悪夢のような世界に、老人はひとり取り残されてしまった。彼は窓ぎわに歩み寄り、ガラス越しにそとを見た。道路の人だかりは、依然としてなにかわめきあっている。彼は空を見あげた。青い空がおだやかにひろがっているだけだった。

青空のかなたの大気圏外に、かなりの数の宇宙船が静止していた。円陣の隊形を作り、不規則に散る背景の星々と、きわだった対照を示していた。彼らはその星々のうちの一つから発進し、虚無と暗黒のただよう宇宙空間の深淵《しんえん》を越え、ここまできたのだった。

隊形の中央に位置する宇宙船のなかで、このような会話がなされていた。

「計画の進行状態はどうだ」

「順調に開始されました。薬品は大気中に拡散し終ったようです。拡散加速の特殊な活性をおびさせてあるため、短時間のうちに、まんべんなくゆきわたったはずです。全住民が呼吸したことはたしかです。薬品の効力はすぐに消えますが、生体に残る症状は持続的です」

壁には、拡大された地球表面のうつっている、スクリーンがあった。計器類の個所は黄や赤に光っていたが、内部はぜんたいにうす暗く、どこか銀色を感じさせる照明のなかで、彼らの姿が影のように動いていた。彼らの外見は、地球人と大きくちがってはいなかった。頭があり二本ずつの手と足とがあった。しかし、やはり異質だった。

「すべて、予定の作戦どおりだな」

「こんども、うまくゆくでしょう。われわれは、どの星でもうまくやってきた。われわれの持つ主要なものといえば、高速の宇宙船とこの薬品だけ。そのほかの武器は、なにひとつない。しかし、いままでに多くの星々を支配下に加えてきた。まず、住民たちの頭から、過去の記憶を完全に消してしまう。本能と身についた反射機能だけは残してあるから、混乱のあげく自滅におちいることもない」

「まあ、知能をまるはだかにしてしまうということだ」

彼らは少し前に、地球にむけて隕石《いんせき》状のミサイルを発射した。それは大気の上限と接触すると破裂し、内部の薬剤を放出する。薬剤は気圧の高いほうへと、すなわち下方に拡散してゆく。それを吸うと、脳において記憶喪失症状がもたらされる。文明とは過去の体験の蓄積のことだが、それが瞬時に空白となってしまうのだ。

「そこへ、われわれが乗り込み、白紙に絵を描くごとく、新しく歴史をうえつけてやる。神話も宗教もだ。こんな完全な支配方法はない。ほとんど無傷で支配下に入る。芸術と呼ぶべきでしょう」

「高熱を発する武器や、死をもたらすガスでは、相手を滅亡させることはできても、支配下におくことはできぬ。また、かりに力づくで支配してみたとしても、反抗心は語りつがれ、いつかは追いかえされてしまう。ばかばかしい。この宇宙には、そのたぐいの原始的な武器を持って喜んでいる住民の星もあることだろう。これから目ざすあの星はどうだろうか」

「さあ、そこまではまだ不明です。しかし、武器があったとしても、いずれにせよ、われわれには手むかえません」

どこかで鋭くブザーが鳴った。時刻の来たのを知らせ、なにかをうながすように響いた。

「そろそろ、部隊に着陸の指示を出そう。薬品の効力は安全な状態まで消えたはずだ。主要な都市を占領するのだ。そこには、なにかしら情報伝達の中心部があるはずだ。そこを手に入れ、できるだけ早くその機能を知り、目的のため有効に利用するのだ」

「はい、それはなれています」

円形の編隊を作って静止していた宇宙船団は、本部の存在する中心のを残し、しだいに速力をあげて散っていった。目標に襲いかかる動きだった。いくつもの弧が空間に描かれた。

老人は自分の部屋の椅子《いす》にかけ、さっきから考えつづけていた。しかし、いかに考えても、どうしたらいいのかわからなかった。社会の異変は好むところであり、本来なら胸が高鳴るはずであった。だが、これでは敵を見きわめようがないのだった。相談したり手をたずさえたりする戦友がいればいいのだが、それもさがしようがない。目の前の机の上にある酒びんを取り、老人は飲んだ。そして、また窓から通りを見おろした。

人びとはまだ議論しあっている。それに熱中しながらタバコを吸う者や、水を飲む者もあった。その程度のことはできるらしい。しかし、それ以上のことは記憶からわいてこないらしかった。みな、困惑の表情を示している。飾り窓のなかのテレビを見つめている者もあった。だが、なにも答は得られず、失望のようすだった。

老人はひとつ思いついた。テレビ局へ行き、ニュース・ショーのスタジオに入り、画面から語りかけようかと。「みなさん、みなさんは記憶喪失におちいっているのです。しっかりして下さい」と言うのだ。しかし、そのあと、なんと言ったものだろうか。

　そこが問題なのだ。早く思い出して下さいと言っても、それはなんの効果もあげないだろう。原因や対策を教えることもできないのだ。

　どこかに、だれか、まともに話しあえる相手はいないのだろうか。老人はまた、心当りの友人の家に、何回か電話をかけてみた。しかし、その結果はなにも得られなかった。

　老人は椅子にかけた。そして酒を飲んだ。どこかで電話のベルが鳴っていた。アパートの住人たちはみな、自分がだれかを知るため、話し相手を求めて部屋からさまよい出た。そのあけっぱなしのドアから聞こえてくるのだろう。

　ベルは鳴っていた。電話で事情を知ろうとしている者が、どこかにいるらしい。老人はそう思いながら酒を飲んだ。しかし、やがてグラスを床に落した。あの電話に出るべきだと気づいたのだ。みながおちいっている記憶喪失では、電話はかけられないはずだ。かけられるのだったら、電話機のまわりに押し寄せ、ベルは各所で鳴りつづけていなければならない。

　あの電話のむこうには、正常な人間がいるはずだ。しかし、老人が立ちあがると、ベルの音はやんだ。耳をすましても、ざわめきの音が遠くから伝わってくるばかり。質問のぶつけあいがつづいているのだろう。

老人はがっかりして腰をおろした。いまの電話の主は、どんな人なのだろう。異変の及んでいないのは、なぜなのだろう。この陰謀めいたことの、一味かなにかだろうか。しかし、それにしても、ここでなぜ自分だけが……。

考えても解答らしきものは出てこなかった。少し疲れかけた老人を、また電話のベルが立ちあがらせた。ベルは鳴りつづけている。さっきのと同じ方角、同じぐらいの遠さだった。相手を求めて、あきらめ切れずにかけなおしたのだろう。

老人は部屋を出て、その音を追った。五つほどとなりの部屋のなかで鳴っていた。さいわいドアはあけられたままで、なかにはだれもいなかった。もう少し待ってくれ、こう祈りながら老人は電話に手をのばし、言った。

「あ……」

息がきれて、すぐには言葉が出なかったのだが、むこうでも声がした。

「あ……」

若い女の声のようだった。ほっとしたのか、大きくため息をついていた。老人はあらためて話しかけた。

「どうなさいました」

「どうなったのかは、あたしのほうが知りたいのよ。あなた、どなたなの」

またも、この質問だ。どうやら相手は、症状がほんの少しだけ軽いにすぎないらしい。電話をかけられるだけ軽いようだ。老人はうんざりして答えた。

「ちょっと部屋の前を通りかかった者です」

「そこに、ねえさんはいないの……」

「あいにく、どなたもおいでになりませんが……」

と答える途中で、老人は気がついた。姉の住所の電話と知っていてかけてきたのだ。

そこで、あわてて聞いた。

「……そちらで、なにが起っているのですか。落ち着いて話して下さい」

「そうおっしゃるところをみると、そちらでもなにかが起ってるのね。きっと、こっちと同じなのね。でも、どうしたのかしら……」

若い女は、だいぶ混乱していた。しかし、老人がうながし、はげますのに答え、少しずつ話しはじめた。

彼女はここから少し離れた海岸の観光地で働いている。水中を見物させる小型潜水船の案内係だという。いつものように、窓から見える海底の説明を乗客たちにやり、浮上し港に戻ってみると、どことなくあたりがおかしい。

船からおりた客は、心配そうに帰っていった。船の操縦士は、ようすを調べてくるといって出ていったきり帰ってこない。心細くなって警察をはじめ各所に電話したが、なにもわからない。ますます心配になり、姉を電話で呼びつづけていたのだという。

老人は聞いているうちに、二人の共通点を発見した。大気が原因らしい。ある時間の空気を呼吸しなかった者だけが、この異変にあわないでいる。老人はそのことを告げた。もっとも、自殺しかけたことについてはぼかした。

「じゃあ、まともな人は、あたしたちのほかにもいるわけね」

「そうかもしれないが……」

潜水船に乗っていた者のほか、宇宙服のテストをやっていた者、酸素吸入をしていた者、その他なにか特殊な状態にあった者など、どこかでいらいらしているにちがいない。しかし、すぐに連絡をつける方法も思いつかなかった。

「大きな事故が起らなければいいんだけど。そちらのようすはどう……」

「車はみんな止っている。変だと気づいて、反射的にブレーキをかけたのかもしれない」

航空機はどうなのだろうか。気密状の航空機は難をまぬがれているだろう。自動操縦のも無事に着陸しているだろう。そのほかは、わからない。飛びつづけているのかもしれぬし、身についた反射機能で処理したかもしれぬし、墜落したかもしれぬ。しかし、見える範囲に大事故らしいものはなかった。

「こっちも、大事故はまだないわ。沖のほうの船は、停止したままだし。あの船のなかでも、きょとんとした顔での会話がつづいているんでしょうね」

老人と女とは話しつづけた。どちらも、せっかく得た話し相手を失いたくなかった。会って話したいと思ったが、それには遠いし、乗り物が支障なく動くとも思えない。道路の自動車は、勝手なところで停車している。

「これから、どうなるんでしょう」

女が言ったが、老人にも答えようがなかった。いやなことが起りそうな予感はしたが……。

そのうち、電話のむこうの女が叫んだ。

「あら、あれは……」

「どうしたんです」

「なにかが、空から……。いくつも……」

「しっかりして下さい。なんです」

「地球のものではないようだわ。着陸して、なかから、あ、あ……」

「もしもし、もしもし……」

老人は呼びつづけたが、女の声は消えてしまった。電話は切れていない。気を失ったか、逃げたか、かくれたかしたのだろう。老人はこのまま待ったものか、電話を切ったものか迷ったあげく、切ることにした。かける気になれば、むこうからかけてくるだろう。

ふたたび老人は自分の部屋に戻り、酒を飲み、考えをまとめた。どうやら、宇宙からの侵略らしい。侵略という言葉は反撃という言葉につながり、老人の血はおどりはじめた。久しぶりのことだった。戦いなのだ。敵をたたきのめし、追いかえすのだ。

老人は立ちあがり、窓のひとつのパテをはがし、あけた。道の人びとに呼びかけようとしたのだ。だが、いざとなると声は出なかった。人びとはぼんやりと道に腰をおろしている。疲れと困惑と不安とを持ち、時たま声をかけあい、そして黙る。これでは呼びかけようがない。

呼びかければ、どっと集ってくるかもしれない。だが、どこから、どう順序を追って説明したらいいのだろう。とてもまにあわない。まったく、うまい侵略だ。精神の空白を作りあげ、いいようにあやつろうというらしい。空白といっても、簡単な空白ではない。何万年もかかって作りあげた、地球人が地球人であるという意識を失おうとしているのだ。どんな形容をもつけられない最大の危機だ。それなのに、このざまでは、もはや対抗のしようもない。

老人は冷静に事態を判断した。彼は戦闘的な心とともに、分析的な頭も持っていた。だからこそ、冒険にみちた人生を生きのびてくることができたのだった。

冷静になるとともに、けさまでの感情がもどってきた。どっちにしろ、人類はだめなのだ。すでに従順さだけをとりえとする、どれいの状態にあったのだ。戦うことを忘れ、与えられる物をなんでもありがたく受け取り、それで満足している。そんなことだから、新しい主人を呼び寄せてしまったのではないだろうか。なさけないことだ。

人類の祖先たちが戦いを重ね、高次に押しあげてきた、この文明の歴史。文明とは血をもってあがなわれたものであり、戦いこそ文明なのだ。その輝かしい文明が、いま失われようとしている。しかし、それもいいだろう。ぬるま湯のなかで、薄よごれて弱まって消えるより、時の幕にさえぎられ、雄々しさのまま消えるほうが、はるかに救いがある。いまの世の中の連中には、文明を手にする資格などないのだ。

老人は窓からそとを見つめつづけた。侵略とすれば、なにかがはじまるはずだ。どこからか侵略者があらわれるはずだ。それを待つことにしよう。

好奇心もあった。どれいたちの新しい主人を見ておこうと思ったのだ。そして、最も痛烈な反撃を加えてやろう。長い人生で得た、戦いについてのあらゆる体験を集中し、からだに残る生命力で抵抗してやるのだ。もちろん、勝利は望めないだろう。だが、どれいでない最後の人類の戦士として、生涯の終りを栄光で飾れるのだ。あとに残る腰抜けどもをあざ笑いながら、興奮と満足のうちに死ねるのだ。

老人は身ぶるいをしながら、それを待ちつづけていた。

ついに出現した。並んだビルのむこうの角から、それは一つの隊となって出現した。そのさらにむこうには広場がある。彼らはそこに着陸したのだろう。

老人は目をこらし、観察した。たしかに地球人ではない。彼らは奇妙な外観をしていた。皮膚の色はうす青だった。髪の毛は針ねずみのように硬く立っていた。歩き方もまた奇妙だった。うしろに地面をけるように足を動かして歩く。これが人類の新しい主人であり、おれの敵なのか。老人は酒の残りを飲んだ。侵略者たちは列を作り、主人らしくゆうゆうと、強敵らしく堂々としていた。あんな態度は、すでに人類が失ってしまったものだ。

その時、予想もしなかった光景が老人の目の前で展開した。道ばたにだらしなく腰をおろしていた人びとが、足音を耳にし、侵略者たちを見た。そして、反応をおこしたのだ。

いっせいに飛びかかり、引き倒した。申しあわせていた場合でもああはできないといえるほど、反射的ですばやかった。侵略者たちはあわてたが、逃げる余裕はほとんどなかった。

すばやいばかりでなく、恐るべきものだった。こぶしでなぐり、手でしめつけ、石を投げつけ、棒で突ついた。男も女も、若いのもそうでないのも、その作業に参加した。侵略者たちはのたうち、青い皮膚は破れ、茶色っぽい血が流れた。手足はもぎとられ、からだはみにくくつぶれた。ごくわずかだけが、やっとのことで逃げていった。

宇宙船のなかでは、緊急ブザーが響いていた。そして、命令が伝達された。

〈緊急指令、緊急指令。すみやかに退却し、この星から離脱せよ。思いがけぬ抵抗あり。危険きわまりなし〉

本部の宇宙船では対策が協議されていた。

「なんという星だ。ただごとではない。おとなしそうな住民と思ったが、記憶を消し本能と反射神経だけにすると、こうもひどくなるとは……」

「こんなことは、いままでになかった。どこかが狂っている。こんな結果になるとは思わなかった。二度とここには来ないことにしよう」
「当然のことだ。出発前に記憶をもどす薬剤をまいておこう。ここでは記憶によって、なんとか正常さが保たれているらしい。それをはぎとると、はじけたバネのように無茶をやる。もとのようにしておいたほうが、まだ無難だ」
宇宙船内ではその準備がなされた。

窓から見おろしていた老人は、いつまでも夢を見ているような気分だった。悪夢としか思えない。現実かどうかをたしかめるべく、ゆっくりと下へおりていった。近よってみると、すさまじかった。残酷というか、狂気というか、血まみれになった肉片が、原形をとどめず、ばらばらに散っていた。こんな光景は、戦場においてもめったにない。

老人は目をそむけた。いままでに多くの殺しあいはやったが、これほどにはやらなかった。なぜこうなったのだ。しばらく考え、やがて知った。

平和だの、しあわせだのと言っているが、人間の心の底にあるのはこれなのだ。これが本能なのだ。自分たちと異質なものと接触すると、直感でそれを知り、理屈以前の段階で反発する。排斥し、抹殺《まっさつ》しなければならないのだ。憎悪《ぞうお》をあらわし、たたきのめして消し去らねばいられないのだ。

記憶の蓄積である文明という化粧が薄く、肌《はだ》の色が見えるとそれを恥じ、さらに厚くぬりたてる。化粧がくまなく及び、だれも自分でも、おたがいどうしでも、それを肌の色と思いこんでしまっている。だが、そのすべてがはがれると……。

「ひどいわ。なにがあったの……」

老人のそばで、だれかが悲鳴をあげた。中年の婦人だった。記憶が戻ったらしい。また、だれかが叫んでいた。

「むごたらしいことがあったらしい。だれがやったのだ」

みなは目をそむけ、顔をしかめた。人びとのなかには、老人を知っている者もあった。彼は老人に批難の視線をむけた。いつもぶっそうなことを言っているが、おまえではないのかと。

老人は目を伏せた。おれにはこんなことができるものか。たしかに、おれは多くの人を殺したかもしれない。だが、主義があり名分がある場合、信念によって紳士的に対決したのだ。老人はいま、その主義とか、名分とか、信念とか、紳士的とかいうものもまた、文明という化粧品の成分であることを忘れていた。

老人は、自分の部屋に帰り、ベッドに横たわった。さすがに疲れた。だが、心は楽しかった。なまの人類を見ることができたのだ。きのうまでのゆううつが、うそのように消えていた。世の中に絶望するのは早すぎたようだ。人類がこれだけのものを内に秘めているとは知らなかった。これなら、人類の未来は当分のあいだ心配はいらない。いずれは、広い宇宙をわがものとするだろう。未来の人類を信じてもいいのだ。

こころおきなく安心して死ねる、と老人は思った。ということは、自殺しなくてもいいのだ。彼は興奮を静めたいと思ったが、ちょっと無理だった。そこで、薬びんから睡眠薬を出して少し口に含み、もう酒が残っていなかったので水で乾杯をした。

理想的販売法

「おい、企画開発部長を呼んでくれ」

と大きな食品会社の社長であるアール氏が言った。秘書がそれを連絡し、まもなく部長がやってきた。

「はい、なんでございましょうか」

「ほかでもない、以前から研究中の合成ミルクのことだが、そのご、進行状況はどうなっている」

「そのことでしたら、お喜び下さい。やっと試作品が完成いたしました。これから、その報告をいたします。これをごらん下さい」

部長は机の上に、何本ものびんを並べた。どれにも白い液体が入っている。アール氏は聞いた。

「みんなそうなのか」

「いいえ、飲みくらべていただこうと、まぜて持ってきたのです。どれが合成か、どれが天然か、わからないはずです。それも当然のことで、成分がまったく同じなのです。蛋白質《たんぱくしつ》、脂肪からミネラル、ビタミンに至るまで、すべて同じです。わが社の技術陣の勝利といえましょう」

社長のアール氏は飲みくらべてみた。だが、口あたりや味でみわけはつかなかった。

「すばらしいできだ」

「栄養の点でも、天然のミルクに劣りません。もっとも、値段の点は天然のとほぼ同じです。しかし、これはやがて引き下げることもできるでしょう」

「よくやってくれた。では、さっそく大量生産に移し、積極的に売ることにしよう。みんなに伝えてくれ」

かくして、合成ミルクは商品化され、大々的に販売ルートに流された。しかし、期待したほど売上げが伸びない。

合成ミルクへの偏見のせいではなかった。また、宣伝不足や販売部の怠慢のせいでもない。牛乳の消費量には一定の限度があるのだ。人の食生活というものは意外に保守的で、簡単には変らない。

「おい、企画開発部長を呼んでくれ」

とまたアール氏は言い、部長がやってきた。

「なんでございましょう」

「なんとかして販売高を急速に伸ばす方法はないか、という問題だ。長い期間をかけ、牛乳ぎらいの人をなおしたり、一日に一本飲んでいる人を二本にさせることも必要だ。しかし、わが社としては、そんなに手間のかかることより、もっと急いで売りひろめたいのだ。いい知恵はないか」

部長は声をひそめて言った。

「こんな陰謀はどうでしょう。病原菌をひそかにばらまいて、世界中の牛を倒してしまいましょうか。そうすれば、わが社の合成ミルクが独占できることになりましょう」

「いや、いくらなんでも、それはむちゃだ。商業道徳にも反するし、その陰謀がばれたら会社は終りだ。他に迷惑をかけぬ方法で、ストックを一挙にさばきたいのだ」

アール氏の難問に対し、部長はしばらく考えてから、ひとつのアイデアを提案した。

「こういうのはどうでしょう。景品による宣伝です。ミルク飲みロボット・ネコを作ろうと思うのです。本物よりかわいく、本物より人なつっこく、お行儀もよく、家庭のペットとして申しぶんないのを作り、それを景品としてくばるのです。ミルクを飲まさないと動かないのです」

「そんな高価なものを景品として出して、採算がとれるかね」

「その点は大丈夫です。安心しておまかせ下さい。自信があります」

「それなら、きみの才能を信用してまかせよう。やってみてくれ」

アール氏は許可した。

やってみると、ミルク飲みロボット・ネコは大変な好評だった。本物のネコよりはるかにかわいいのだ。それに、さかりのついた時に鳴きわめくこともなく、柱や壁をひっかくこともない。なき声は甘ったるく、ネズミをつかまえる能力も本物に劣らない。

いっしょに遊んでいて、ロボットであることを忘れるほどだ。ミルク飲みロボット・ネコがいると、家庭が明るくなる。また、無意識のうちに天然品にまさる人工の品であることが頭に入る。

あれやこれやで、ミルクの売上げはぐんぐんと伸びた。ネコの飲むぶんがふえたのだ。社長のアール氏は、企画開発部長を呼んでほめた。

「すばらしい成績だ。それに社の利益もふえた。よく説明してくれ」

「じつはですね。ミルク飲みロボット・ネコのなかにしかけがあるのです。ネコがミルクを飲んで動きまわると、内部でミルクがチーズに変化するのです」

「妙なことを考えたな」

「まあ、お聞き下さい。社員が定期的にまわって、それを回収してくるのです。つまり、チーズがただで生産されることになるのです。ですから、わが社のチーズはこのあいだから、原価がほとんどゼロに近くなっています」

社長は感心した。

「なるほど、そういうわけだったのか。道理でわが社のチーズの生産が急にふえた。ストックがたくさんになった。ところでだ……」

「はい、なんでしょうか」

「ぜいたくをいうようだが、こんどはそのチーズを売りたいのだ。短期日のうちに販売する方法を開発してもらいたい」

「やってみましょう……」

企画開発部長は、その問題ととりくんだ。

とりあえず、利口なネズミを大量にふやし、それを街に放った。極秘のうちに、その計画はおこなわれた。

動きがすばやく、とくにチーズが好きなネズミなのだ。夜だろうが、昼間だろうが、食事中だろうが、あっというまにチーズをかっさらう。油断をしていようが、していまいが同じなのだ。チーズの消費量はぐんとふえた。

社長のアール氏は部長を呼んで、その功績をほめたたえた。

「ますます好調だ。このグラフを見てくれ。チーズの売行きは急上昇、ミルクのほうも依然として順調だ」

「そのわけはですね。ネズミにチーズを食べられては困る家は、その撃退用にミルク飲みロボット・ネコの景品をほしがり、わが社のミルクを取るようになってくれるのです。どっちへ転んでも、わが社の利益というしかけです」

「ずっとこの調子で行けばいいが……」

「そこに問題があるのです。ミルクを消費してくれるネコがふえれば、ネズミがへり、いつかは圧倒されます。またチーズのストックがふえるということになりましょう」

「そうなったら困るな」

とアール氏は不安そうに顔をしかめた。

しかし、企画開発部長は言った。

「いや、ご心配はいりません。チーズ食べロボット・ネズミなるものを研究中です。ご期待下さい。すばらしいものです」

やがてそれも完成し、大量に作られ、ひそかに各所にくばられた。本物のネズミの減少した地区が優先したことは、いうまでもない。

ロボット・ネズミは天然ネズミほどいやな存在でなく、適当にチーズをかっぱらって食べる。ネコは適当にそれを追っかける。

アメリカの漫画映画のネコとネズミのようで、見ていても面白い光景なのだ。両者のあいだには適当なバランスがたもたれ、共存している形だった。もっとも、そうなるように作られているからだ。

これらのことを、部長はとくいげに社長のアール氏に報告した。

「もう最良の状態となりました。チーズ食べロボット・ネズミの内部には、チーズを分解して合成ミルクの原料にもどすしかけがついているのです。ネコのチーズを回収する巡回係が、それをいっしょに回収してきます」

「そうか、それはすばらしい。合成ミルクの原価を一段と引き下げることにもなるわけだな。まったく、きみの才能はどうほめても、ほめたりないほどだ。ありがとう」

「おほめいただいて恐縮です。では、つぎになにをやりましょうか。命令をどうぞ」

企画開発部長は自信にみちた表情で言った。それに対し、社長のアール氏は言った。

「どうやら、当分きみに用はないようだ。しばらく休職するよう命令する」

視線の訪れ

人間の皮膚には、合計してどれくらいの神経細胞が分布しているのだろうか。おそらく、驚くべき数になるにちがいない。しかし、最初は、そのひとつにかすかに感じたにすぎなかった。

彼は三十歳をちょっと越した男。ある広告代理店につとめ、仕事においてはなかなかのやりてだった。そして、まだ独身だった。妻子がいないと、自由に使える金も多くなる。したがって、女性にもてないはずはない。事実その方面でも、かなりの腕前だとのうわさだった。当人にとっては悪くない気分であり、なかなか身を固める気になれず、ずるずると独身がつづいていたのだ。

男はいま、大きな企画をやっと軌道に乗せ終え、一段落といったところだった。彼は会社の机にむかってぼんやりとして、一本のタバコに火をつけようとした。

その時、皮膚にそれを感じたのだ。だれかが、ずっと遠くから自分をみつめているような気がしたのだ。

彼は煙をゆっくりと吐きながら、室内を見まわした。しかし、ほかの社員たちは電話の応答をしたり、伝票を整理したり、それぞれの仕事にとりくんでいた。男はふりむき、窓のそとに目をやった。となりのビルの屋上に何人かの人影があったが、べつにこっちを見てもいないようだ。

となると、結論はひとつしかない。気のせいにきまっている。だれにもよくあることだろう。それに、このところ少し仕事に熱中しすぎた。今夜あたり、気ばらしをしなければなるまい。男はそう思い、帰りにバーに寄った。

酒に酔い、陽気にさわぎ、さらにひとりの女性をくどき、その夜はともにホテルにとまった。つぎの朝、男はホテルから出勤する形になってしまったが、彼にとってはべつに珍しいことでなかった。

会社で机にむかい、彼はまた首をかしげた。あの感覚、つまりだれかに見つめられているような感覚が、ずっとつきまとっているからだった。昨夜の眠りで中断はしたが、ホテルのベッドで目ざめた時から、ふたたびはじまったのだ。男はすぐ、そばに眠っている女をそのままにし、部屋の内部をひとわたり調べてみた。どこかに穴でもあり、のぞかれているのではないかと思ったのだ。しかし、そんなことのありえない一流ホテルであり、また、調べた限りではなにも発見できなかった。窓はカーテンでおおわれており、そとからということもない。

問題はホテルにあるのではない。なぜなら、ホテルから出てからも、会社についてからも、その感覚はずっと同じようにつづいているのだ。しかも、きのうにくらべて少しだけ強くなったようだった。白い紙の上に落ちたインクの一滴、それがにじんでひろがりはじめたのに似ていた。

昨夜の飲みすぎが、かえっていけなかったのかな、と男は思った。そこで、その日はまっすぐに自分のアパートに帰った。テレビを眺め、雑誌を読み、シャワーをあびて眠りについた。

しかし、朝になって目がさめると、やはりその感覚がよみがえってきた。念のためにあたりを見まわしたり、服の背中などを調べてみたが、もちろんなにもない。なんでもないと頭ではなっとくできたものの、依然としてその感覚は消えなかった。この監視されているような気分は、どこからくるのだろう。

いくら考えてもわからず、男は考えるのをやめた。しろうとがあれこれ考えても、とける問題ととけない問題とがある。専門家に任せるべきだ。そのためにこそ専門家が存在する。また、異変への手当ては早ければそれに越したことはない。

男は社の仕事のひまを利用し、学生時代からの友人である医者をたずねた。

「きょうは折り入って相談したいことがあってやってきた。よそでは、ちょっと打明けにくいことなのでね」

「ははあ、さては遊びすぎて、悪い病気にでもなったな。しかし、そうくよくよすることはないよ」

医者は笑いながら気やすく言ったが、男は首を振った。

「そうはっきりしている問題ならいいんだが、事態はもっと深刻なのかもしれない」

「まあ、話してみてくれ。事情を聞かないことには、答えようがない」

「じつは、少し前から、だれかに見られているような気がしてならないんだ」

「なるほど、そうだろうな」

「いやにあっさり片づけるが、よくあることなのかい」

「当り前さ。街に出ればすぐわかる。なんと多くの人がいることか。だれの視界にも入らずに歩くことなど、できやしない。すなわち、だれかに見られているほうが普通の状態だ。ところが、なにかのきっかけで気にしはじめると、それが頭にこびりつく。たとえば、眼鏡のふちだ。つねに、かけている人の視界に入っているが、ないも同然にしか感じられない。また、きみの商売に関係していることで失礼だが、テレビの画面を横切るコマーシャルだって、十秒もたたないうちに文句は忘れられてしまう。これが普通なのだが、いずれにせよ、いったん気にしはじめると、じつにうるさく思えてくる。時たま新聞の投書欄に、どこそこのコマーシャルは無神経だなどと書いている人があるが、大多数はそういわれても思い出せない……」

医者は説明をつづけたが、男はさえぎった。

「いや、そんなのとは、ちょっとちがうんだな。部屋のなかで完全にひとりになった時も同じなんだ。また、いまの話のような、不特定多数の視線ではない。ある特定のものに注視されているような感じなんだ」

「たしかに、いくらか頭が疲れているようだな。広告会社という、神経を使う仕事のせいだろう」

「おかしくなりかけているとは言わないのかい」

「大丈夫だ。本当におかしければ、そんなふうに心配はしないものだ。まあ、気にしないことが第一だ。といっても、そう努めようとすると、かえって気になるのだろう。積極的に気分の転換をやってみるんだな。いままでにやったことのないなにかに、刺激を見いだそうとしてみたらいい」

「そういうものかな。やってみるよ」

男は別れ、社に戻り、なにをやったものかと思案した。酒や女性では転換とはいえない。旅行に出るほどの休暇はとれない。スポーツや楽器は、いまさらやる気にもなれない。

賭《か》けごとはどうだろう。これまで彼はあまりやったことがなかった。しかし、これは刺激的なものかもしれない。そして、賭けごとの好きな知人を思い出した。毎晩のように自宅で、仲間を集め金を賭けてポーカーをやっているという。かってさそわれたことがあったが、その時は関心がないと辞退した。

手帳を出して番号を調べ、電話をかけた。急に関心がわいてきたと言うと、いつでも歓迎する、今夜でもいいとの返事だった。男は訪問を約束した。

しかし、手ぶらでは行けない。資金が必要だ。ちょうど取引先からの入金があり、彼はそれを流用することにした。会計に渡すのは二、三日あとでもいい金だった。

賭けごとはたしかに刺激的であり、興奮をもたらしてくれた。だが、あまりうまくないためもあり、負けがこんできた。それに、やはりどこからかのぞかれている感覚は消えない。男はそれを気にし、さらに損を重ねた。

みかねた知人が忠告した。

「調子が悪い時や、ついてない時に、そう無理をするな。きょうはこれぐらいにしておけよ」

男はそれに従った。ききめのないらしいこともわかった。気分転換の役に立たず、穴埋めのあと始末だけが緊急の問題として残ってしまった。このままだと横領ということになる。

背に腹はかえられず、男は非常手段をとった。前々から誘惑されていたことだが、社で内密に進行中の企画の内容を他に少しもらし、いくらかの金を受取ったのだ。あとくされのない筋とはいえ、大いに良心がとがめた。しかし、この際いたしかたない。それをまぎらすのに、酒や女にふたたび溺《おぼ》れたりした。

こうして日はたっていったが、だれかに見られているという感覚は、弱まるどころか強くなってきた。はっきりもしてきた。男は、視線の送られてくる方角がわかるような気がした。

彼はその方角に顔をむける。しかし、そこにはなにも存在しない。いや、こっちが顔をむけるより一瞬早く、それが物かげにかくれてしまうようなのだ。

遠くのビルの屋上とか、街の道の曲りかどとか、むこうを走っている自動車のかげなどに……。

その場所へ行ってみると、そこにはなにもなく、視線はべつな方角から送られてくる。彼はなんとかして見きわめようと、すばやく顔をむけてもみる。だが、まにあうことはなかった。ほんの少しの差で、それはかくれてしまうのだ。社の同僚が言った。

「このところ、妙な癖がはじまったようだな。首をぴくりと動かすとは」

「いや、これはちかごろ流行している健康法なんだぜ」
　ごまかしたものの、あまりていさいのいい行為ではない。男はそれをやめ、他人の注意をひかぬよう、鏡を利用することにした。手のひらに小さな鏡をかくし、視線の主を発見しようというのだ。しかし、それもだめだった。鏡をのぞきこむ寸前に、相手は身をひそめてしまう。彼はいらいらした。こっちは観察されているのに、その逆は許されないのだ。
　このように、相手の視線がはっきりしてきたばかりでなく、距離も少しずつ近くなっているようだった。このあいだまでは道の曲りかどにひそんでいたのが、このごろはビルの廊下の曲りかどにもひそみはじめた。そこから、じっとこちらを見つめている。

しかも、一日ごとに迫ってくる。男はまた、友人の医者をたずねた。

「少しも快方にむかわないのだ。ただごとでないような気もする。相手の存在がはっきりし、近づきつつあるんだ。あれに追いつかれたら、どうなるのだろう。もしも、それが死神だったとしたら……」

と男は正体のわからぬものに迫られている不安を告げた。医者はまじめに耳を傾け、質問した。

「それが死神のように思えるのか」

「いや、形容が大げさすぎたかもしれない。じつのところは、そうは感じていない。つめたさとか恐怖とか、人をおびえさせるものとか、そんなたぐいとはちがう。この点ははっきり言える。といって、ではなんだと聞かれても、見当もつかない。まあ、こういったところなんだ」

医者は念のためにと、精密な診断をしてくれた。べつに命取りになりそうな病気もなく、年齢相応の健康体だった。

「とくに異状はない。鎮静剤をあげるから、つづけて飲んでみてくれ。そして、しばらく様子を見よう。こっちもよく研究して的確な治療法をさがしておく」

「ききめがあってくれればいいが……」

鎮静剤を使っても、相手の接近を防げなかった。すぐそばの窓のそととか、少しはなれた物かげとか、横を歩いている人のかげとか、ごく近くに……。

会社にいる時も、バーにいる時も、それはつきまとっている。そして、なおも近づいてくる。一日がたつごとに……。

ある夜、男は部屋でテレビを眺めていた。すぐそばからの視線を感じた。彼はさっとそっちをむいた。いままでと同じく、そこにはなにも存在しない。しかし、かくれた場所はわかった。少し開いていた洋服ダンスのなかにかくれたらしい。彼はそっと近より、なかをのぞいた。

すると、それはそこにいた。

そこには女がいた。まあ美人といえる顔立ちで、からだの均整もとれていた。しかし、普通の女ではなかった。背の高さは万年筆ぐらいで、背中には翼があった。男はしばらく見つめていたが、つぶやくように言った。

「ピーターパンの話にでてくる、ティンカー・ベルとかいう妖精《ようせい》のようだな」

「そんなふうに見える……」

「ついに正体をつきとめたというわけだな」

「さあ、どうかしらね」

男は自分が会話をかわしていることに気づき、驚いてしばらくだまった。しかし、沈黙したままではいられなかった。

「ところで、なにものなんだ」

「さあ、なにかしら……」

「幻覚だろうか、幽霊だろうか」

「さわってみたら」

男はおそるおそる手をのばし、さわってみた。相手は指にふれた。

「たしかに実在している。となると、幻覚ではない」

「でも、触感における幻覚ってこともあるんじゃないの……」

ていよくあしらわれているようだった。男はうなずいた。

「そういえば、そんなこともあるかもしれないな」

「それで、あなたはいったいなんなの」

思いがけぬ質問をされ、彼はとまどった。なんと答えればいいのだろう。名前を言えばいいのか、会社名を告げるべきなのか、男性とか人間と答えればいいのかわからなかった。また、それらの答では満足せず、男性とはとか、人間はとか聞かれたら、どう説明すべきか手のつけようがなくなってしまう。彼は無意識のうちに頭をかいていた。

その妖精みたいな存在は、顔に笑いを浮かべていた。といっても、あざけりや皮肉ではなく、意味のつかめない笑いだった。そして言った。

「そろそろベッドに入って眠ったらどう……」

「しかし、こんなことになって……」

「こわくはないでしょ。あたしがなにか危害を加えそうに思える……」

「いや、そうは思わない」

男は答えた。それが正直な感想でもあった。彼は医者からもらった鎮静剤を少し多量に飲んで横たわった。妖精の姿はぼやけて、やがて眠りの幕でさえぎられた。

朝になって目をさますと、妖精は電気スタンドの笠《かさ》に腰をかけていた。男はそれを見た。

「これはいかん。やはり夢ではなかったようだ。さっそく医者に出かけて、この妄想《もうそう》を完全に消してもらわなければ……」

そのつぶやきを聞いたのか、妖精は言った。

「そんなこと、しないほうがいいわよ」

「しかし、こんな異常をほっておくことはできない。なんとかしなければならないじゃないか。なぜとめたりする」

「なぜでも……」

「しかし、ぼくはそうしたいんだ」

「なさらないほうがいいわよ」

「それを聞き入れず、むりに行ったらどうするつもりだ」

「ご想像にまかせるわ……」

妖精は例の意味ありげな笑いを浮かべ、彼を見つめてまばたきをした。それによって、男はあることに思い当った。この目なのだ。このあいだから、ずっとこっちを見つめつづけてきた目だ。自分がなにをしてきたか、すべてを知っている目だ。

「よそへいってしゃべるとでもいうのか」

「さあね……」

肯定はしなかったが、否定もしていない。万一、そんなことをされたら、とんでもないことになる。どんな女性とホテルにとまったとか、公金を使って賭けごとをし、その穴埋めに社の秘密をもらしたなどとしゃべられたら……。

男は社に出勤した。いままでずっとつきまとっていた視線は消えていた。正体を見たため、一種の安心感でそうなったのだろうか。そのへんのところはよくわからなかったが、ほっとしたことはたしかだった。

男は社でだれにも話さなかった。「うちに妖精がいる」などと、まじめに主張してもどうにもならない。冗談と受取って笑ってくれる者さえないだろう。そこを説得し、むりに連れてきても、妖精がいなかったり他人には見えなかったりしたらことだ。また、妖精がいて、おしゃべりをはじめられても困る。

男は医者にも寄らずに帰った。自然に消滅してくれれば一番いいのだが……。その期待もむなしく、ドアをあけて部屋に入ると、なかにそれはいた。男は言った。

「どうだろう。たのむから、ここから出ていってくれないか」

「いやよ」

「じゃあ、ぼくがしばらくよそでとまる」

「そんなこと、しないほうがいいわよ」

追い出すことは不可能だろう。といって、ここから引越したら、くっついてくるかもしれない。くっついてこなくても、ここに住みついて、あとの住人の前に出現し、勝手なおしゃべりをされてはたまらない。なにしろ、弱味をにぎられてしまっているのだ。

「まあ、そんな恐喝《きょうかつ》みたいなことは言わないでくれよ」

「そんなこと、してないじゃないの。まだ、なんの要求も出していないわ」

「じゃあ、あらためて質問することにしましょう。どうしたら消えてくれるんだ」

「べつに、なんにもしてくれなくていいのよ」

これでは交渉にならなかった。妖精の弱味でもにぎれれば対等になれるわけだが、それはできそうにない。

つぎの日、朝おきてみると、ちょっとした変化があった。朝食の用意ができていたのだ。

「ぼくのためにやってくれたのかい……」

「さあ……」

ますます、わけのわからないことになってきた。弱味をにぎられている相手から親切にされると、妙に落ち着かない。交渉もさらにむずかしくなる。

「そんなこと、してくれなくていい」

「してあげたとは言ってないわよ。ねぼけながら自分でやったのかもしれないじゃないの」

そうかもしれないし、そうでないのかもしれない。男にはそれを判断できる力はなかった。また、数日がすぎたが、妖精はいっこうに消えてくれそうになかった。

そんなある夕方、ドアにベルの音がし、だれかがたずねてきた。

「どなたです」

「ぼくだよ。そのごのようすはどうかと、通りがかりに寄ってみたんだ」

友人の医者の声だった。妖精は男の耳にこうささやいた。

「お客をうまく追いかえすのよ。よけいなことは言わないようにね……」

テレビの犯罪物にでもありそうな文句だった。従っておくほうが賢明なような気にもなる。しゃべったらどうなるのかわからない点も不安だった。

男は医者をなかに入れ、つとめて元気そうにふるまった。医者は安心したらしく帰っていった。それを待っていたかのように、妖精は本棚《ほんだな》のうしろからあらわれた。

「うまくいったわね」

「しかし、ぼくをいったい、どうしようというんだ」

「べつにどうしようとも思っていないわ」

男は頭を抱えた。どんな条件を出したら満足するのかわからない。はたして、お気に召す条件が存在するのかもわからない。また、いつまでこんな状態がつづくのかも……。

理由もなく、責任もないのに、とんでもないものに飛び込まれてしまった。追いかえす適当な方法はないかと考えてみたが、それは思いつかなかった。たとえ思いつけたとしても、弱味をにぎられていては実行に移せないことだろう。

男は毎日、あれこれと考えた。ずっと以前、視線だけを感じていた時より、事態がよくなっていないのだ。あのころは知らないでいたから、勝手なこともできた。しかし、こうなってしまうと、遊ぶこともできない。

何回か交渉を重ねてみたが、依然として要領をえない。

やがて、彼はひとつの結論をえた。結論というより、悟りと呼ぶべきものだった。つまり、どうしても打開できないらしいと知ったのだ。

これが運命というものらしい。好ましいとはいえないが、こうなったからには、あきらめる以外にない。じたばたしたって、どうにもなるものでもない。

男は覚悟をきめた。少し気が軽くなった。その決心を胸に帰宅した。しかし、部屋に入って見まわすと、妖精の姿はなかった。しかし、消滅したのではない。いままでのつきあいで、ひそんでいるけはいはわかる。カーテンのかげにそれが感じられる。

近づいてのぞいたが、そこにはいなかった。こんどは、けはいは戸棚のかげに移ったようだ。男は声をかけてみた。

「おいおい、出てきたらどうだい」

しかし、返事はかえってこなかった。

「なにをすねているんだ」

ふたたび聞いたが、やはり同じ。

つぎの朝になっても、その姿は見あたらなかった。すぐ近くにいるけはいは感じられるのだが、姿をあらわさない。しかも、少しずつはなれてゆくようだ。

男はなんとなく心配になってきた。どこかに行って、こっちのことをしゃべられてはことだ。まだしもここにいてくれたほうがいい。なんとか連れ戻さなければ……。

しかし、つかまえることはもちろん、見つけることもできなかった。

少しさきの物かげとか、廊下の曲りかどにかくれているとはわかるのだが、行きついてみると、そのさきに姿をひそめてしまう。

日がたつにつれ、それはさらに遠ざかっていった。彼はひまさえあれば、ある時は仕事そっちのけで追いかけた。しかし、追いつくことはできなかった。

やがて、けはいはさらに遠くなり、かすかになった。そしてはるかかなたのどこかで、まったく消えてしまった。

男はがっかりし、また友人の医者を訪れた。追いかけつづけたが、ついに成功しなかったまでのいきさつを話した。それを聞き終って医者は言った。

「最初は追跡される妄想だったが、最後は妄想を追跡する形になったわけか。あまり聞いたことのない症状だな。珍しい」

「感心してはいられない。なんとかしてつかまえなくてはならないんだ。どうしたらいいだろう。ぜひ知恵を貸してくれ」

男は身を乗り出した。医者はしばらく考えてから言った。

「その妖精《ようせい》みたいなものについて、もっとくわしく説明してみてくれ。どんな姿で、どんな表情だったかなど……」

こんどは男が考え込んだ。

「うむ、そう言われると、ふしぎでならないな。はっきり見ていたはずだけど、ばくぜんとしか思い出せない。しかし、味わった感情だけははっきり覚えている。とてつもなくやっかいなような、面白かったような、なつかしいような……」

「なるほど、そうだろうな」

「なにかわかったような口ぶりだな。教えてくれ。連れもどす方法でもいいし、こんな変な目に二度とあわないですむ方法でもいい」

「ああ、もちろん教えてあげてもいい」

「どうすればいいのだ」

「いいかげんで、早く身を固めて家庭を持つんだな。どうだい、そんな気にならないかい」

男はうなずいて答えた。

「たしかに、きみの言う通りのようだ」

偏見

静かなコンクリートの床に鋭い足音がひびき、刑務所長と看守と教戒師とがやってきた。そして、ひとつの独房の前で足をとめ、所長が重々しい声で告げた。

「お気の毒だが、きめられた日時となった。刑を執行しなければならない。心構えはできているだろうね」

「はい、よろしくお願い申します」

囚人は答えた。まだ若い女囚だった。女性で死刑に処せられるのは珍しいことだが、判決できまったのだから、いたしかたない。

所長は自分自身をなっとくさせ、はげます意味も含めて言った。

「おまえはこれまでに、三人の男とつぎつぎに結婚し、その夫となった人たちを殺してしまった。凶悪な行為であり、法廷でも殺人が立証された。その罪は刑によってつぐなわなければならないのだ」

「はい。わかっております」

女囚はていねいな口調で答えた。夫殺し三回というのにもかかわらず、あまり凶悪な顔つきではなかった。それどころか、おとなしそうな静かな美人であり、どこか悲しくさびしげなものを感じさせる。

悲しげなのは、大罪を悔いているのかもしれない。さびしげなのは、まもなくこの世と別れることを思ってだろうか。運命はきまり、もはや処刑をのがれることはできない。

だが、恐怖の表情はなく、からだもふるえていない。それはこの刑務所へ送られてきた日から変らず、彼女が取り乱したことはなかった。

所長のほうが、ちょっと恐怖を覚えた。この内気そうな女が、どう決意して夫を殺したのだろうかと想像したのだ。しかも、三回もだ。所長はつぶやくように言った。

「このあいだ、おまえの精神鑑定をやってもらった。だが、結果は正常だった。だから、わたしの権限では、もうこれ以上の延期をしてあげようにもできなかったのだ」

精神鑑定は裁判の時にもなされている。だれだって、こんな犯行は異常な心が原因だろうと考える。しかし、その時も、そして今回も、狂気はみとめられなかったのだ。

「はい。わたくしは気ちがいなどではございません」

女は口数すくなく答えた。所長は前々からの疑問を口にした。

「いったい、どんな動機で、あんな大それたことをしたのだ。ふしぎでならない」

「そうお考えでしょうか」

「だれでもそう思うよ。動機については、裁判の時にも言わなかったそうじゃないか。そのため、刑をいくらかでも軽くしようにも、それができなかったのだ。いまだに、みながふしぎがっている。どの夫にもたいした財産がなく、お金の問題でないことははっきりしている。亭主が横暴だったり、女道楽をしたのでもない。そして、おまえの精神は正常だ。それなのに、なぜあんな悲劇に至ったのだ。この世と別れるに当って、なにもかも告白したらどうです」

「ご親切におっしゃっていただき、感謝いたしますが、言い残すことは、なにもございません」

女囚はやはり平然と答えた。その心境の奥をうかがい知ることは、所長にはできなかった。なぞはとかれないままなのだ。

だが、もはやこれ以上ぐずぐずしていることは許されない。気の進まぬことではあっても、関係者たちにとってこれが職務なのだ。処刑台のある室《へや》へと連れてゆかねばならない。

看守は手を貸そうとしたが、女はそれを断わって、ひとりで歩いた。このように悟りきっているのは、男の場合にもほとんどない。これまた驚くべきことだった。

処刑室につき、教戒師が型通りのことを言ったあと、所長は聞いた。

「タバコでも吸うかね」

「けっこうでございます」

「では、お茶は」

「けっこうでございます」

少しでも時間をのばせるのに、女はそれを断わった。そして、絞首台《こうしゅだい》を見あげて言った。

「階段が十三もあるんですのね。ずいぶん高い……」

高さへの感想をのべた囚人など、いままでにない。ふたたびおりることのない階段なのだ。所長はいぶかしく思いながら答えた。

「規則できまっているのですから……」

「そうでしょうね。これでやりそこなったことはございますか」

「いまだかつて、ありませんよ……」

所長は答えながら、そのようなことを期待しているのだろうかと、ふしぎに思った。それから、なにか言い残すことはと、また聞いた。しかし、女は首をふってあいさつをした。

「ございません。長いあいだお世話になりました」

動機についてはひとことも言わず、彼女は階段をのぼった。看守が手伝い、顔におおいがかけられ、首になわが巻かれる。

深い静寂。ごくわずかな、そして長い時間。ひとりの人間に終止符がうたれる、厳粛な瞬間。

激しい音がして、足の下の板が開き、彼女のからだが落下した。反射的に冥福《めいふく》を祈る関係者たち。

その時、予期しなかった女の声がした。

「痛いわ。足をくじいてしまって……」

みなは一瞬、青ざめてふるえた。死者の声を聞いたのにちがいないと感じたのだ。つぎに、なにか手ちがいがあって、なわが切れたのかと考えた。そして、その声のしたほうに目をやった。

処刑台の下の床の上に、彼女のからだがころがって、痛そうにもがいている。だが、なわが切れたのではなかった。頭はなわに支えられ、はるか上のほうにある。

その二つのあいだをつなぐのは、白く長い長い首すじだ。

「いったい、これは……」

所長が言う。上のほうの、布につつまれた頭部から答があった。

「ごらんの通りよ。あたし、ろくろっ首の女だったの。心配した通り、やっぱり死ねなかったわね」

「伝説上のものとばかり思っていた……」

関係者たちは、そう叫んだだけだった。女はもうかくしようがないので、告白をはじめた。

「なにもかも、このためだったのよ。だから、結婚しても、いつかは夫に知られてしまう。そうすると、みなあたしから逃げようとするの。あたしがどんなに泣いてたのんでもだめ。ろくろっ首が、どうしていけないの、なにも悪いことはしないのに。それなのに、どの夫も理屈もなにもなく怒り、離婚してくれなければ、世の中にいいふらすなんて言うのよ。だから、あたし……」

狂的体質

「おつぎのかた、どうぞ……」

とエフ博士が言うと、看護婦が女患者をつれて診察室に入ってきた。さっきからドア越しに、キャンデーのコマーシャル・ソングがくりかえしくりかえし聞こえていたが、その声の主はこの患者だったようだ。

三十歳ぐらいの平凡な女。ふとっているのはキャンデーの食べすぎのせいだろう。診察用の椅子《いす》にすわらせても、依然として歌いつづけている。

もっとも、コマーシャル気ちがいというのは、むかしもあった。また正気の人間だって、われしらずくりかえし口ずさんでしまうこともある。コマーシャル・ソングには、もともとそんなところがあるようだ。

しかし、エフ博士は狂的体質の治療についての専門医。ここへ送られてくるのは、そんなありふれたたぐいではない。はるかに高度な患者なのだ。つまり、歌は歌でも、伴奏つきなのだ。ギターとアコーデオンとピアノの伴奏つきの、甘いメロディーの歌が、女患者の口から流れ出ている。まさかと思う人もあるかもしれないが、ここに存在しているのがそれだ。だからこそ、狂的体質と呼ばれる患者なのだ。

全症状が解明されているわけではないが、これを例にいちおうの説明をすれば、こうなる。レコードのみぞは一本だが、それによって合唱つきのシンフォニーをも、みごとに再生している。それと同様に、声帯に微妙な変化がおこると、このような現象にもなるわけだ。なぜ声帯に変化がおこるのかといえば、本人の精神の偏執の度が強くなったからである。

博士は看護婦からカルテを受け取り、のぞきこみながら言った。

「まず、この患者が自分をなんと思いこんでいるのかを、つきとめなければならぬ。ラジオかテープかレコードかだ、それによって療法がちがってくる」

博士はくりかえされる歌声に耳を傾け、それにかすかにまざる雑音の特徴から、ラジオにちがいないと診断した。つぎは、そのスイッチの場所をつきとめる。女患者のからだのほうぼうをつねったり、ひねったりしているうちに、左手の薬指がそれだと判明した。すなわち、薬指をねじったとたん、つづいていた歌がうそのようにおさまったのだ。

「これでよし。スイッチはここだ。この左手をギプスでかためてくれ。そしてしばらくようすを見よう。それでもなおらぬ重症だったら、薬指と脳のあいだの神経を切断することにする。さて、おつぎのかた……」

社会が複雑になるにつれ、狂気の者のふえることはいたしかたない。しかし、それがさらに進むと、狂気は精神内だけにとどまっていなくなる。おさまりきらなくなり、あふれにじみ出し、からだの変化となってあらわれる。自己をラジオだと思いこめば、ラジオと同じ性能を示すのだ。われ思う、ゆえにわれ変質す、である。

つぎに入ってきたのは、四十歳ぐらいの男。悲しげな表情で訴える。

「わたしは会社づとめをしています。最初のうちは自分でも気がつきませんでした。しかし周囲のようすがどうもおかしいので、しつっこく追究すると、わたしは発作をおこすと、何時間かロボットとなることがわかりました。同僚たちは、わたしが発作をおこすのを待ちかねていて、力仕事を押しつけるのです。いじが悪い。このあいだなんか、重い金庫を一階から三階まで、ひとりで運びあげてしまったそうです」

「なるほど」

「あとでそうと知らされ、くやしくてなりません。自分では疲れも記憶も残らないんだからいいとはいうものの、冷静になって考えると、いまいましいものですよ」

「でしょうな、病状はわかりました。しかし、あなたの場合、何回も発作がくりかえされて、偏執が固定しかかっている。全快は長びきますよ。きょうのところは、まず薬をさしあげましょう。発作がはじまりそうになったら、お飲み下さい。歯車の回転

をにぶくするききめがあります」

博士は処方箋《しょほうせん》を書いて看護婦に渡した。

その時、机の上の電話が鳴り出した。受話器をとると、中年の女の人の声だ。

「先生、お願いです。うちの男の子がおかしくなりましたの。以前からスポーツカーを欲しがっていたのですが、買ってやらずにいたら、その一念がこって自己をスポーツカーと思いこんでしまいました」

「それはご心配でしょう。では、あすにでもこちらへよこして下さい。ええと、あいている時間は……」

「じつは、もう先生のところへ行くようにと言ってしまいましたの。二分ほど前に、うなり声をたてて飛び出していきましたわ。そちらへついたら、エンジンの部分をぶちこわしていただきたいのですの」

「予約なしの飛入りとは困りますな……」

狂的体質とは新しく発生した病気で、まだ専門医が少ない。患者はみな博士のところへ集中する。しかたのないことだ。

電話を切って三分もたたないうちに、エンジンとブレーキの音を勢いよく響かせ、診察室のドアが開き、ひとりの少年が博士の前に停車した。タクシーでも十五分はかかる距離だが、自己をスポーツカーと思いこんでいる少年だけのことはある。博士は注意を与えた。

「途中でスピード違反をやったろう。そうでなかったら、こう早くはつかぬ。とんでもないやつだ」

「ええ、あやうくオートバイをはねとばすところでした。しかし、ぼろ車とちがって、ぼくは高性能の車です。うまくかわしましたよ」

少年は息をはずませてもいなければ、汗ひとつかいていない。なおすのがもったいないようなものだ。だが、医者のつとめは一般人なみのからだにすることにある。また、このままだと、いずれは歩行者をはねたり、住宅の塀をこわすことになりかねない。普通なら少年のほうが傷つくのだが、狂的体質だとガードレールなどのほうがひんまがるのだ。

博士は少年に対し強力な電磁場発生装置を用い、計器を狂わせ、エンジンのかからぬようにした。少年はつきが落ちたように、とぼとぼと歩いて帰っていった。

つぎの患者は、ひげをはやした青年。一見して前衛芸術家とわかる。

「急患のため、お待たせしてしまいました。で、どうなさいました」

博士が質問しても、その青年、瞑想《めいそう》にふけっている顔つきで、なにも答えない。前衛芸術家となると、扱いにくいことおびただしい。看護婦に聞くと、つきそってきた人がどこかへ行ってしまったという。やむをえないので、博士は聴診器を耳に当て、青年の胸をはだけるよう看護婦に命じた。商売ともなると、診察らしいことをやらねばならない。

しかし、シャツをはぎとると、そこには驚くべきものがあった。肌いちめん、赤や黄や青などの原色で、ぐにゃぐにゃした模様が描かれていたのだ。

描かれているといっても、絵具を用いたのでもなければ、いれずみでもない。そんなたぐいなら、ありふれたことだ。第一、模様が形を変えたり、リズムに乗って色を変えたりはしない。やはり狂的体質なのだ。

この患者は新しい芸術表現の開発に熱狂し、精神の集中がなされたあげく、こうなってしまったのだろう。しかし、それにしてもみごとなものだ。胸も背中も腕も、目もくらむ色と、限りない形の変化をつづけている。博士はため息をついた。

「うむ、すばらしい。こうなると治療してしまうのも惜しくなる。さっきのスポーツカーの少年とちがい、他人に害を及ぼすわけでもない。つきそいの人とあらためて相談し、治療の方針をきめることにしよう。きょうは手をつけないことにする」

看護婦はそれに従い、その芸術的カメレオン男を連れていった。待合室には、あとふたり患者がいる。早いところ片づけなければならない。博士はひとりを招き入れた。

三十五歳ぐらいの女性。子供への教育熱心がこりかたまった母親で、そのあげく自己がティーチング・マシンになってしまったのだ。

「地球から月までの距離は何キロメートルですか」

などとしゃべっている。その問題に対し正しい答えを言うと、彼女の左の目が青く光り、さきの問題へ進む。まちがった答えだと、右の目が赤く光る。まったく妙なのがあらわれるものだ。博士はまたスイッチを求めて、患者のからだをいじくりまわした。

最後の患者は男で、これはもっと変っていた。入ってくるなり、水を一杯飲ませて下さいと言う。聞いてみると、のどが性感帯になっているらしい。たしかに、水を飲みくだす時には、恍惚《こうこつ》とした表情になり、身もだえさえする。博士は少しうらやましい気分になった。だが、患者の腹はそのため、水でがぼがぼになっている。

博士は首をかしげた。これまでの患者は、世にある物品ばかりだったが、こいつはなんになったのだろう。質問をくりかえして、どうやら宇宙人と思いこんでいるらしいことがわかった。入念に調べたいが、もはやきょうはその時間がない。入院させることにした。

これで本日の診察は全部おわり。博士は腕時計をのぞきこみ、ほっと一息ついた。その時、おもてがさわがしくなった。大型の自家用車が医院の前にとまり、若い男がおりてかけこんできた。

「お願いです。たのみます」

「お気の毒ですが、診察時間は終りです。ここは時間厳守なのです」

「でも、そこをなんとか……」

青ざめた顔の若い男は、目の色を変え、強引な口調だった。しかし、博士は首を振った。

「なんとおっしゃっても、だめです。さっきスポーツカーの飛び入りがあり、すでに時間がすぎているのです。そこの申込み用紙にあなたのお名前を書いておいて下さい。

あす一番に診察してあげます」

「いえ、わたしじゃないんです。わたしは大臣の秘書官なのですが、その大臣が大変なのです。いま、あの車のなかにいます……」

相手は名刺を出した。押しが強いのは、政治関係者のせいだったのか。

「大臣だろうがなんだろうが、うちの規則は規則です。しかし、まあ容態だけでも、うかがっておきましょうか。どうなのです」

「そんなのんきなこと、おっしゃらないで下さい。大臣が核爆弾になってしまったんです。核兵器の拡散と、国際間に高まる力の均衡を心配のあまり、考え悩み、限度を越えたのでしょう。ついに症状に出てしまったのです」

核爆弾と聞いて、博士もあわてた。

「なんだと。本当か、それは。とんでもないものになりやがった。早くお連れして下さい。いや、担架で運ばせましょう。待て、担架だと手がふるえて落すかもしれない。押し車のほうがいい。そっと扱わなければならぬ」

びくびくした連中によって、大臣が運ばれ、静かにベッドの上に横たえられた。博士がガイガー管をその腹部に近づけると、激しい雨だれのような音がした。狂的体質で核物質になっていることはたしかなようだ。秘書が歯を鳴らしながら聞く。

「うそじゃなかったでしょう。で、何メガトンぐらいでしょうか」

「そこまではわからない。だが、いかに小型だとしても、爆発すればこの街などすっ飛ぶこと、まちがいなしだ」

「そんなので死ぬのはいやだ。なんとか助けて下さい。そうだ、先生。わたしをシェルターと思いこんだ狂的体質にして下さい。そうすれば、万一の場合でも生き残れるでしょう」

「残念ながら、そこまではできぬ。わたしは治療だけしかできないのだ。たしかに面白い研究テーマだが、いまはそんなことを論じている場合ではない……」

しかし、博士も真剣だった。核爆弾の安全装置がどんなもので、この患者の場合それがどこにあるのか見当もつかないのだ。ラジオやスポーツカーとちがって、むやみといじれない。へたをしたら爆発しかねないのだ。

博士は腕を組み、ちらちら時計をのぞきこみながら考えたが、いい案も浮かばない。とりあえず、全身麻酔をほどこした。動けないようにしておき、精密検査はあとでゆっくりということにしよう。

「いいか、このまま絶対に動かさないように。だれも近づけないように。衝撃を与えるとどうなるかは、おわかりでしょう」

博士は大臣の秘書と看護婦に言いつけ、白衣をぬぎはじめた。秘書は心細い声で言う。

「もちろん身をもって守りますが、治療のほうも早くはじめていただけませんか」

「そうしたいですが、どうにもならない事情がありましてね……」

博士は振りきり、自室にこもって内側から錠をおろす。もう、発作がはじまる寸前の時刻なのだ。やっとまにあった。

博士はベッドの上にころがり、動かなくなった。見ただけではわからないが、一個のハマグリとなったのだ。一日に一回、夕刻になるとこうなるのだ。これから数時間は、外界でいかなる事態が発生しようと、その殻は決して開かない。

連日、朝から変な患者たちに接しつづけているのだ。こんな発作が持病になってしまったとしても、きわめて当然のことといえよう。

解説

尾崎秀樹

星新一に『きまぐれ博物誌』というエッセイ集がある。これはアイデアとウィットにあふれた話の博物誌で、『きまぐれ星のメモ』『きまぐれ暦』とともに星新一の人や文学を知る上でよい参考になる本だ。

『きまぐれ博物誌』の冒頭に、彼が友人たちに出した年賀状の文面が紹介されている。「今年もまたごいっしょに九億四千万キロメートルの宇宙旅行をいたしましょう。これは地球が太陽のまわりを一周する距離です。速度は秒速二十九・七キロメートル。マッハ九十三。安全です。他の乗客たちがごたごたをおこさないよう祈りましょう」

これを読んで、私は年賀状がそのままショート・ショートになっているのを知って驚いた。ショート・ショートの三要素は、新鮮なアイデア、完全なプロット、意外な結末だというのは、ロバート・オバーファーストの説だそうだが、この年賀状もそれらの条件を備えているのではなかろうか。

星新一はショート・ショートの日本における草わけで、同時にその代表的な書き手だが、単に作品を執筆するときだけでなく、日常生活においても、ショート・ショート的発想を大切にし、それを現実認識に活《い》かしているようだ。

ショート・ショートはＳＦの俳句だといった人がある。俳句ほどみごとな短詩型はない。それは古典的でウルトラ・モダンであり、定型を守りながら一瞬のうちに宇宙の存在をかいまみせてくれるようなスタイルだ。アイデアの勝利、みごとな様式、そして二重三重によめる意外な奥ゆきと考えてくると、どうやらショート・ショートの三条件ともかさなってくる。

ただし俳句では季感を尊重するが、ＳＦのショート・ショートではこれはむしろタブーである。星新一がみずから課した制約のひとつに、時事風俗をあつかわないという一項があった。季感をもりこまないことはこの項目と対応するのであろう。

それはともかく、星新一が性行為や殺人シーンの描写を避け、時事風俗をあつかわず、前衛的な手法を用いないのは、かえって作品の普遍性をたかめている。実際に彼の作品を読むと、いつ、どこで、誰がといった限定された条件がとぼしいのに気づく。登場人物の名前もエヌ氏とかエフ氏、あるいは役職名や性別などで表示されるものが多く、場所や時代もシチュエーションだけ備わっていて、固有の地名や時期はしめされていない。

　ということは、その登場人物の代りに別の誰をおいても構わないし、読者自身が入れ替ってもいいということになる。いや読者が自由に登場人物になり得る可能性をもつことで、無限のひろがりをふくむといえよう。それはあたかも物語の冒頭に、“Once upon a time……”と書くことで普遍性をしめすのと同様、星新一のショート・ショートは、宇宙年代のあるとき、ある所で、某々氏が行なったある種の事柄といった一般化をともなっている。

　したがってそこに描かれたすべての事象は、具象的であると同時に象徴的であり、形而下《けいじか》の次元をしめすと同時に、形而上の世界へひらくことになる。星新一のショート・ショートの魅力もまたそこにあるのではないか。

　星新一を知って十数年になる。いや二十年近くなるといった方があたっているかもしれない。その頃から出版されるごとに彼の著作を寄贈してもらい、今日まで愛読してきたが、最近では娘の方がすばやく読んでしまうありさまである。その間ずっと彼はショート・ショートを書き続けてきた。血につながる伝記や時代短編なども発表しているが、本領はやはりショート・ショートにあり、一作ごとに新鮮なたのしさを与えてくれる。

ショート・ショートはつねにアイデアの斬新《ざんしん》さを要求されるだけに、創造の苦労もまた人一倍だと思われる。数百枚の長編を執筆するのとはことなった意味で、四、五枚のショート・ショートを脱稿するには、それなりの生みの苦しみがあるわけだ。

だが今日のマスコミは、稿料の面でショート・ショート作家を正当に遇しているとはいえないようだ。私たちがやっていた「大衆文学研究」の第二号で、「科学小説の夢」と題した座談会を開いたことがある。星新一のほかに北杜夫《もりお》、今日泊亜蘭の諸氏をわずらわせたが、そのおりも稿料倍増論が話題となり、つぎのようなやりとりがあった。

北　これは星さんのために言っておきますけれども、ショート・ショートはいいものを書こうとすると、今の二倍の原稿料を出さないといけないと思いますよ。

――（中略）――

今日泊　星君の苦しいところはわかるのですよ。なぜというと、仮りに長いものを書くとしますね。最初に主題がある、それからその発展とか、帰結とか、人物の性格、出入りとかいろいろ考えて、構造をきめ操作をして三百枚になるとする。ところが小噺《こばなし》で五枚物を書くにも、その構想を練って話を作ってゆく手間は同じですよ。書き出して了《しま》えばわれわれなら百枚を二百枚にだって出来るけれども、五枚なら五枚ときまったものを、そのたんび発想と構成に長編と同じ苦心を払って、それであがりが少なかった日には損だよナア。

北　短い原稿で感じたのですけれども、僕は「マンボウ」で賞をもらったために、こまもの随筆が多くなったのですね。結構書こうと思うと書けますから、つい引き受けてしまうのですね。看護婦さんの雑誌とか……稿料がないと言われるとなお断りにくくて「マアいいや」ということになってしまいます。結構四〜五枚でも精力は同じですね。四〜五枚書いて一仕事したなと感じると、アトが駄目ですよね。（笑）一つ書いたから次というわけにはいきませんから……。

今日泊　四枚でも四十枚でも根疲れが同じなら、四枚ものでは十回がっくりしなくちゃならない。（笑）どうだ、短かいもの作家が寸編作家同盟をつくって……。

星　ウン、全作連をつくって（笑）

今日泊　原稿料賃上げをやらかすといい。

全作連とやらはついに実現しなかったが、星新一を代弁して北杜夫や今日泊亜蘭が語っている稿料倍増論は、今日にひき継がれる問題をはらんでいる。言葉を変えていえば、ショート・ショート作家の苦労を正しく理解し、マスコミもそれを正当に遇すべきだというわけだ。

星新一がショート・ショートの書き手として、変らない人気を保持してきた秘密はどこにあるのだろうか。いろいろな理由が考えられるが、それらを煮つめていえば、彼がたぐいまれなロマンティストであり、尽きないファンタジーの持ち主であることが、その大きな理由ではないか。

『午後の恐竜』には表題作をはじめ、十一編の作品が収められている。それらを読んでみれば、星新一のショート・ショートのうま味が納得されるに違いない。たとえば『エデン改造計画』はいわゆる文明というものの意味を問い直すような、諷刺《ふうし》のきいた一編であり、『契約時代』は契約万能時代にたいするするどい警告をふくみ、『午後の恐竜』や『おれの一座』は多分にブラック・ユーモア的な要素をもつ作品だ。

また『幸運のベル』や『理想的販売法』はメーカーの販売作戦におけるあの手この手をとりあげ、『華やかな三つの願い』と『偏見』は、前者は悪魔との契約のパロディであり、後者は現代の妖異譚《ようい》《たん》として読め、人間の偏見や意識の盲点をついている。『戦う人』は宇宙人の地球攻撃にたいして、地球人がみせる意外な抵抗を語り、人間の本能を諷刺的にとらえ、『視線の訪れ』は、人々が日常なんとなく感じるようなことをひとつのアイデアとして、人間の妄想《もうそう》にSF的な存在感を与えていた。さらに『狂的体質』では、社会が複雑になるにつれてあらわれるさまざまなおかしな病状の患者を描き、現代人の欲求不満をそこにみている。

　これらの作品は現代や近未来の事象を素材に、人間疎外《そがい》や物質文明のひずみに目をむけ、文明とは、人間とはといった問題にコミットしている。しかもそれをなまな形で提示するのではなく、ファンタスティックな手法で処理しているあたりに、作者の真骨頂が感じられる。

　現代の社会はまことに殺伐としている。人間が社会生活を営むためにつくり出したさまざまな機械や組織が逆に人間をしばり、支配しており、それが人間不信や不安感をうみ出す。だが星新一はそうした現象を逆手《ぎやくて》にとって、そこからSF的世界を夢み、現実の社会のありかたを諷刺しているのだ。しかもファンタスティックなひろがりをもち、その語り口は詩的でさえある。『午後の恐竜』にふくまれた諸編は、そのことをしめしてくれるのだ。


（昭和五十二年四月、文芸評論家）

この作品集は、昭和四十三年十月に早川書房より刊行された『午後の恐竜』の前半の11編を収録した。

星新一著
ボッコちゃん
ユニークな発想、スマートなユーモア、シャープな諷刺にあふれる小宇宙！　日本ＳＦのパイオニアの自選ショート・ショート50編。

星新一著
ようこそ地球さん
人類の未来に待ちぶせる悲喜劇を、卓抜な着想で描いたショート・ショート42編。現代メカニズムの清涼剤ともいうべき大人の寓話。

星新一著
気まぐれ指数
ビックリ箱作りのアイディアマン、黒田一郎の企てた奇想天外な完全犯罪とは？　傑出したギャグと警句をもりこんだ長編コメディー。

星新一著
ほら男爵現代の冒険
〝ほら男爵〟の異名を祖先にもつミュンヒハウゼン男爵の冒険。懐かしい童話の世界に、現代人の夢と願望を託した楽しい現代の寓話。

星新一著
ボンボンと悪夢
ふしぎな魔力をもった椅子……。平和な地球に出現した黄金色の物体……。宇宙に、未来に、現代に描かれるショート・ショート36編。

星新一著
悪魔のいる天国
ふとした気まぐれで人間を残酷な運命に突きおとす〝悪魔〟の存在を、卓抜なアイディアと透明な文体で描き出すショート・ショート集。

新潮文庫最新刊

芦沢央著
神の悪手
棋士を目指し奨励会で足掻く啓一を、翌日の対局相手・村尾が訪ねてくる。彼の目的は一体。切ないどんでん返しを放つミステリ五編。

望月諒子著
フェルメールの憂鬱
フェルメールの絵をめぐり、天才詐欺師らによる空前絶後の騙し合いが始まった！　華麗なる罠を仕掛けて最後に絵を手にしたのは!?

午鳥志季・朝比奈秋
春日武彦・中山祐次郎
佐竹アキノリ・久坂部羊著
遠野九重・南杏子
藤ノ木優
夜明けのカルテ
―医師作家アンソロジー―

その眼で患者と病を見てきた者にしか描けないことがある。9名の医師作家が臨場感あふれる筆致で描く医学エンターテインメント集。

霜月透子著
祈願成就
創作大賞（note主催）受賞

幼なじみの凄惨な事故死。それを境に仲間たちに原因不明の災厄が次々襲い掛かる――日常を暗転させる絶望に満ちたオカルトホラー。

大神晃著
天狗屋敷の殺人
遺産争い、棺から消えた遺体、天狗の毒矢。山奥の屋敷で巻き起こる謎に満ちた怪事件。物議を呼んだ新潮ミステリー大賞最終候補作。

カフカ
頭木弘樹編訳
カフカ断片集
―海辺の貝殻のようにうつろで、ひと足でふみつぶされそうだ―

断片こそカフカ！　ノートやメモに記した短く、未完成な、小説のかけら。そこに詰まった絶望的でユーモラスなカフカの言葉たち。

新潮文庫最新刊

D・ラニアン
田口俊樹訳
ガイズ&ドールズ
ブロードウェイを舞台に数々の人間喜劇を綴った作家ラニアン。ジャズ・エイジを代表する名手のデビュー短篇集をオリジナル版で。

梨木香歩著
ここに物語が
人は物語に付き添われ、支えられて、一生をまっとうする。長年に亘り綴られた書評や、本にまつわるエッセイを収録した贅沢な一冊。

五木寛之著
こころの散歩
たまには、心に深呼吸をさせてみませんか？「心の相続」「後ろ向きに前に進むこと」の大切さを説く、窮屈な時代を生き抜くヒント43編。

大森あきこ著
最後に「ありがとう」と言えたなら
故人を棺へと移す納棺式は辛く悲しいが、生と死の狭間の限られたこの時間に家族は絆を結び直していく。納棺師が涙した家族の物語。

A・ウォーホル
落石八月月訳
ぼくの哲学
孤独、愛、セックス、美、ビジネス、名声——。「芸術家は英雄《HERO》ではなくて無《ZERO》だ」と豪語した天才アーティストがすべてを語る。

小林照幸著
死の貝
—日本住血吸虫症との闘い—
腹が膨らんで死に至る——日本各地で発生する謎の病。その克服に向け、医師たちが立ちあがった！ 胸に迫る傑作ノンフィクション。

新潮文庫最新刊

林 真理子著
小説８０５０
息子が引きこもって七年。その将来に悩んだ父の決断とは。不登校、いじめ、ＤＶ……家庭という地獄を描き出す社会派エンタメ。

宮城谷昌光著
公孫龍 巻二 赤龍篇
天賦の才を買われた公孫龍は、燕や趙の信頼を得るが、趙の後継者争いに巻き込まれる。中国戦国時代末を舞台に描く大河巨編第二部。

五条紀夫著
イデアの再臨
ここは小説の世界で、俺たちは登場人物だ。犯人は世界から■■を消す!? 電子書籍化・映像化絶対不可能の〝メタ〟学園ミステリー！

本岡 類著
ごんぎつねの夢
「犯人」は原稿の中に隠れていた！ クラス会での発砲事件、奇想天外な「犯行目的」、消えた同級生の秘密。ミステリーの傑作！

新美南吉著
ごんぎつね でんでんむしのかなしみ
―新美南吉傑作選―

大人だから沁みる。名作だから感動する。美智子さまの胸に刻まれた表題作を含む傑作11編。29歳で夭逝した著者の心優しい童話集。

カフカ
頭木弘樹編
決定版カフカ短編集
特殊な拷問器具に固執する士官を描く「流刑地にて」ほか、人間存在の不条理を描いた15編。20世紀を代表する作家の決定版短編集。

午《ご》後《ご》の恐《きよう》竜《りゅう》

新潮文庫　ほ－４－11

昭和五十二年五月三十日　発行
平成十七年二月二十五日　四十五刷改版
令和　六　年五月二十日　六十一刷

著者　星《ほし》　新《しん》　一《いち》

発行者　佐藤隆信

発行所　株式会社　新潮社

郵便番号　一六二―八七一一
東京都新宿区矢来町七一
電話　編集部(〇三)三二六六―五四四〇
　　　読者係(〇三)三二六六―五一一一
https://www.shinchosha.co.jp

価格はカバーに表示してあります。

乱丁・落丁本は、ご面倒ですが小社読者係宛ご送付ください。送料小社負担にてお取替えいたします。

印刷・株式会社光邦　製本・株式会社大進堂

ISBN978-4-10-109811-1 C0193